Du même auteur

Bon poids, bon cœur avec la méthode Montignac,
cosigné avec Michel Montignac et en collaboration
avec Madeleine Cloutier, Flammarion Québec, 2002;
édition en format poche, Flammarion Québec, 2003.

Bon poids,
bon cœur
au quotidien

De l'épicerie à la table :
conseils et recettes

Données de catalogage avant publication de la Bibliothèque nationale du Canada

Dumesnil, Jean G

    Bon poids, bon cœur au quotidien : de l'épicerie à la table : conseils et recettes

      ISBN 2-89077-254-3

      1. Régimes amaigrissants. 2. Cœur - Maladies - Diétothérapie. 3. Perte de poids. 4. Cuisine santé. 5. Alimentation. 6. Régimes amaigrissants - Recettes. I. Cloutier, Madeleine. II. Titre.

RM222.2.D84 2003   613.2'5   C2003-941683-6

Conception graphique et mise en page : Olivier Lasser

Photos de la page couverture : © A. Peisl/Masterfile
                              © Nathan Michaels/SuperStock
                              © Stock Image/SuperStock
                              © Stockbyte/SuperStock

Imprimé au Canada

Dʳ JEAN G. DUMESNIL
ᴇᴛ MADELEINE CLOUTIER

Bon poids,
bon cœur
au quotidien

De l'épicerie à la table :
conseils et recettes

Flammarion
Québec

Introduction

PAR DR JEAN G. DUMESNIL

M on intérêt, et celui de ma conjointe, Madeleine, pour la nutrition est né d'abord et avant tout d'une expérience personnelle. Affligés d'un surplus de poids, nous avons été amenés à modifier notre manière de nous nourrir à la suite de conseils d'amis. D'abord étonnés par la facilité avec laquelle nous avons obtenu et maintenu une importante perte de poids avec la méthode Montignac, nous avons ensuite été séduits par le fait que, contrairement à la majorité des diètes, celle-ci n'est pas basée sur la quantité d'aliments ingérés, mais plutôt sur la qualité des choix alimentaires.

Depuis plus de sept ans, nous suivons les mêmes principes alimentaires. Notre vie en a été transformée, et il ne nous viendrait même pas à l'idée de retourner à nos anciennes habitudes. Nous avons un sentiment évident de mieux-être. Faire du sport n'est plus une corvée mais bien un plaisir. Ainsi, nous nous sommes mis à la bicyclette et à la randonnée pédestre, et je ne suis pas peu fier de dire que, l'été dernier, nous avons parcouru à bicyclette, sans sourciller et avec plaisir, la route Trois-Rivières–Québec en une journée et demie. Jamais, auparavant, je n'aurais envisagé une telle randonnée, et encore moins à mon âge. Cela eût été assurément ardu lorsque j'étais obèse, et l'expérience me prouve qu'il vaut mieux maigrir pour pouvoir faire de l'exercice, et non l'inverse.

S'inscrivant dans le continuum de cette expérience de vie, la publication du présent volume est motivée par un constat : il existe un contraste évident entre ce que nous vivons et ce que nous observons autour de nous. D'une part, nous sommes convaincus que notre approche alimentaire nous a permis d'éliminer de façon permanente notre surplus pondéral et, dans mon cas, mon hypercholestérolémie et mon syndrome métabolique. D'autre part, il fait peu de doute que le fléau de l'obésité se répand de façon épidémique, à tel point que même les jeunes en sont maintenant atteints dans des proportions alarmantes, et ce, malgré toute une propagande médiatique et l'élaboration d'importants programmes gouvernementaux destinés à contrer le phénomène.

C'est d'ailleurs là le plus grand drame. L'ampleur et l'impact de l'obésité sur la santé sont bien connus, mais, malheureusement, les instances concernées n'arrivent à aucun consensus quant au véritable remède à y apporter. À titre d'exemple, mentionnons que les plus récents programmes gouvernementaux mis sur pied à coup de millions sont principalement destinés à promouvoir une plus grande activité physique, mais ils ne comportent aucun volet visant à modifier de façon significative les comportements alimentaires.

Pourtant, il est grand temps de dépasser ce discours officiel nous répétant sans cesse de faire plus d'exercice et de mieux manger. La signification du « mieux manger » est le plus souvent mal définie et basée sur des recommandations nutritionnelles qui ont peu évolué depuis 30 ans. Qu'on se réfère au guide alimentaire canadien ou à la pyramide alimentaire américaine, de plus en plus de scientifiques, tel le professeur Willett de l'université Harvard, affirment maintenant qu'elles ont non seulement échoué, mais qu'elles auraient, de fait, largement contribué à amplifier le phénomène. Quant à l'exercice, il fait maintenant peu de doute qu'il ne fait pas maigrir, à moins qu'il y ait concomitamment un changement important des habitudes alimentaires.

Notre propre expérience ainsi que les résultats obtenus lors de la recherche effectuée à l'Université Laval nous prouvent pourtant que de telles modifications sont possibles. C'est dans cet esprit que j'avais décidé de contribuer à l'élaboration du livre *Bon poids, bon cœur avec la méthode Montignac,* en collaboration avec Michel Montignac. Ce faisant, mon plus grand espoir était de pouvoir proposer une solution pratique et durable tant pour les personnes aux prises avec ce terrible problème que pour celles qui veulent en prévenir l'apparition. Pour y arriver, deux grands objectifs avaient été fixés, soit :

• Prouver de façon élaborée et scientifique les méfaits de l'obésité afin que les gens puissent en tirer une source profonde de motivation.

• Élaborer des principes simples et faciles à appliquer permettant d'arriver à un changement profond et durable des habitudes alimentaires.

Avec la plupart des diètes ou régimes, le plus grand problème des gens n'est pas la réussite à court terme mais bien la persévérance. L'échec est alors le plus souvent dû à un effritement de la motivation ou au fait qu'ils ont du mal à s'y retrouver. Les menus et les recettes proposées dans les premières phases du régime s'avèrent finalement trop compliqués pour une application quotidienne à long terme. Or, pour un succès définitif, le changement des habitudes alimentaires doit être permanent et, la plupart du temps, il y aura échec s'il y a un retour progressif aux anciennes habitudes.

C'est précisément pour faciliter la persévérance que *Bon poids, bon cœur avec la méthode Montignac* se terminait par un appendice où Madeleine et moi faisions état de notre expérience personnelle et des principes simples et faciles que nous appliquions dans la vie de tous les jours. Nous appliquons encore les mêmes, et ils sont devenus pour nous une seconde nature.

Bon poids, bon cœur avec la méthode Montignac fut un succès populaire tant sur le plan médiatique qu'en librairie. Les commentaires furent tous très élogieux, et Daniel Pinard s'en est particulièrement fait l'écho lors de l'émission radiophonique de Paul Arcand, à CKAC. Les nombreuses invitations que l'on m'a faites pour donner des conférences tant à des groupes de patients qu'à des médecins marquent aussi un intérêt soutenu pour le sujet. J'ai été particulièrement touché par les témoignages de gens qui ont obtenu des succès durables après la lecture du livre, comme je suis toujours très sensible aux commentaires de mes collègues médecins qui me disent voir enfin une lumière au bout du tunnel. En effet, nombreux étaient ceux à avoir plus ou moins démissionné quant aux bienfaits à espérer de la diététique traditionnelle.

La très grande majorité des personnes rencontrées est sensibilisée à l'importance du problème et admet le bien-fondé de la solution proposée, mais il n'y a malheureusement pas unanimité concernant sa faisabilité. Certaines vous diront qu'elles ont appliqué les principes de base proposés, qu'elles n'ont eu aucun problème à persévérer et qu'elles sont, somme toute, très satisfaites. En revanche, d'autres avouent trouver la méthode trop compliquée et être désemparées devant la pratique quotidienne.

Les questions qui reviennent sans cesse sont : « Qu'est-ce que vous mangez au petit-déjeuner? au restaurant? Que mangez-vous le soir quand vous arrivez tard du travail et que vous n'avez pas le goût de cuisiner? Comment vous y prenez-vous pour faire votre marché? Etc. » Nous ne pouvons pas blâmer les gens de s'interroger, puisque nous nous sommes posé les mêmes questions lorsque nous avons décidé d'avoir recours à cette approche alimentaire.

En outre, au fil du temps nous nous sommes rendu compte que, même si les gens sont déterminés à modifier leur alimentation, ils sont souvent influencés par des publicités trompeuses ou des informations erronées et, malgré leur bonne volonté, ils finissent par faire de mauvais choix. Ainsi, plusieurs produits industrialisés qui se présentent comme étant des « aliments santé » ne le sont pas en réalité (chapitres II et V). Pour bien les distinguer, il est important de savoir lire les étiquettes. Ce n'est pas nécessairement compliqué, mais encore faut-il en faire l'apprentissage.

À l'occasion des conférences que je suis invité à donner devant des auditoires composés aussi bien de médecins, de nutritionnistes que du grand public, la critique la plus fréquemment émise ne porte pas tant sur les principes sous-jacents ou sur l'efficacité de la méthode mais bien sur la difficulté d'application dans la vie de tous les jours. Et pourtant, il se trouve toujours aussi une autre partie de l'assistance, encore minoritaire malheureusement, qui affirme l'utiliser avec succès et ne pas trouver cela compliqué du tout.

Ces expériences nous ont convaincus qu'il fallait faire un pas de plus, et nous avons décidé de publier ce livre. Il se veut un guide pratique sur la façon dont Madeleine et moi vivons l'expérience au quotidien. Ainsi, les différents chapitres traiteront de situations aussi concrètes que la lecture des étiquettes, l'élaboration des menus, les bons choix à faire au restaurant, comment faire son marché, etc. À la fin de plusieurs chapitres se trouve un aide-mémoire auquel le lecteur pourra rapidement et facilement se référer. Suivent ensuite des recettes (elles sont l'œuvre de Madeleine) ; elles se veulent simples et conviennent particulièrement aux gens actifs qui, tout en aimant bien manger, n'ont pas toujours le temps de cuisiner de manière élaborée. D'ailleurs, l'un des reproches les plus courants de cette méthode est la complexité des recettes. Pour une cuisine plus recherchée, le lecteur a déjà un vaste choix parmi les nombreux livres publiés par Michel Montignac.

⊰⧽⧼⧽

Quelques mises en garde avant de commencer

1. Pour que la démarche soit fructueuse, il faut changer de façon permanente ses habitudes alimentaires ; tout changement temporaire est une perte de temps et se soldera par une reprise du poids parfois plus marquée ainsi qu'un important sentiment d'échec et de frustration.

2. Pour se motiver, il est bon de se rappeler qu'une fois les bons choix alimentaires faits, on peut manger à sa faim sans se restreindre. Certains noteront que c'est aussi le cas de certaines diètes très en vogue aux États-Unis, telles les diètes Ornish ou Atkins. Les choix proposés sont cependant beaucoup trop extrêmes puisqu'ils consistent, dans un cas, à interdire toutes les graisses et, dans l'autre, tous les sucres, alors qu'en fait, il existe des bonnes et des mauvaises graisses, des bons et des mauvais sucres. En raison de leur extrémisme, ces régimes se solderont le plus souvent par un

échec. Notre approche est beaucoup plus équilibrée et ne s'effectue pas au détriment du plaisir de bien manger.

3. Comme pour le tabagisme, l'élimination de certains aliments tels le sucre, la farine blanche et la pomme de terre pourra au départ s'accompagner d'une certaine sensation de sevrage. Toutefois, elle sera vite compensée par des résultats tangibles, une sensation de mieux-être et un plus grand plaisir de manger.

4. Il faut éviter de faire une application sélective de ce régime. Ainsi, même si certains aliments gras sont permis, il faut éviter d'en abuser, d'étendre cette permissivité à tous les aliments gras ou de faire un mauvais usage des combinaisons alimentaires. À titre d'exemple, mentionnons la viande rouge : elle doit être consommée avec modération et être la moins grasse possible puisqu'elle contient des graisses animales saturées.

5. D'abord destiné à ceux qui ont déjà un problème d'embonpoint, ce guide peut aussi être utile à tous. Rappelons-nous en effet que l'embonpoint et l'obésité augmentent de façon exponentielle, et ce, dans toutes les couches d'âge. Nous sommes convaincus qu'une meilleure alimentation basée sur les principes que nous défendons pourrait contribuer à contrer cette situation.

Chapitre I

Les principes de base en bref

Les recommandations nutritionnelles traditionnelles sont basées sur l'hypothèse que l'obésité est en grande partie due à une ingestion trop importante de graisses, ainsi qu'à un manque d'activité physique. Cependant, les résultats de ma recherche à l'Université Laval en collaboration avec les docteurs Jean-Pierre Després et Angélo Tremblay, et qui ont été publiés dans le *British Journal of Nutrition*, tendent à démontrer que les principaux coupables de l'obésité et du diabète ne sont pas les graisses, mais bien les aliments qui font augmenter de façon trop importante les taux sanguins de sucre et d'insuline. Les données épidémiologiques de l'université Harvard ainsi que deux études récentes publiées coup sur coup dans le prestigieux *New England Journal of Medecine* vont dans le même sens.

Parmi les principaux coupables se trouvent le sucre, bien sûr, mais aussi d'autres aliments telles la farine blanche et les pommes de terre. La plupart des gens – comme nous avant d'y être sensibilisés – ne connaissent pas l'impact néfaste de ces deux derniers aliments sur leur taux de sucre sanguin. Sur le plan métabolique, ces aliments ont un «pouvoir sucrant» aussi important que le sucre.

Une augmentation du taux de sucre dans le sang entraîne une augmentation du taux d'insuline. Le rôle de l'insuline est d'empêcher le taux de sucre d'augmenter au-delà d'un certain niveau, ce qui serait toxique pour l'organisme (comme dans le cas du diabète). L'insuline va faire diminuer le taux de sucre en le faisant entrer d'abord dans les muscles et le foie où il servira de réserve pour les besoins énergétiques à court terme. Ces espaces de réserve sont cependant limités, et ils deviendront rapidement insuffisants pour stocker tout le sucre en surplus fourni par l'alimentation moderne.

Pour empêcher que le taux de sucre demeure trop élevé, ce dernier doit être transformé dans le foie en acides gras pour ensuite être stocké dans les cellules graisseuses. À cause du taux d'insuline circulante qui demeure élevé tout au cours de la journée, les graisses ainsi stockées sont difficiles à mobiliser et, faute de pouvoir y recourir facilement, l'organisme enverra de nouveaux signaux de faim lorsqu'il fera face à de nouveaux besoins énergétiques.

Il s'agit en quelque sorte d'une tricherie métabolique, puisque le tissu graisseux qui doit normalement servir d'espace de réserve devient une espèce de gouffre sans fond duquel il est difficile de récupérer quoi que ce soit! C'est aussi un cercle vicieux, puisque le phénomène se répète sans fin jusqu'à l'obésité.

Le remède consistera donc à éviter les aliments au «pouvoir sucrant» important afin de diminuer la sécrétion d'insuline et le stockage des graisses. Nos propres résultats de recherche ont bien démontré qu'en effectuant de tels choix alimentaires, non seulement obtenait-on une diminution significative du taux d'insuline, mais les participants avaient besoin d'une moins grande quantité de nourriture pour se sentir rassasiés.

Bien que le mécanisme qui conduise à ces résultats soit plus ou moins compris, il est maintenant clair qu'une alimentation basée sur de tels principes entraîne rapidement une perte de poids ainsi qu'une amélioration significative des paramètres métaboliques tels le bilan lipidique et la résistance à l'insuline. Notre recherche était d'ailleurs la première à prouver la possibilité d'obtenir de tels résultats tout en ayant recours à une alimentation saine et équilibrée.

Sur le plan scientifique, on peut caractériser le «pouvoir sucrant» plus ou moins important d'un aliment sur une échelle de 0 à 100, et le terme utilisé pour désigner ce chiffre s'appelle l'index glycémique (IG). Nous y reviendrons plus en détail au chapitre suivant. Pour le moment, il nous suffit de dire que tous les aliments ayant un index supérieur à 50 sont à éviter, alors que ceux ayant un index situé entre 20 et 50 ne doivent pas être consommés en même temps que des graisses. Cette dernière distinction peut paraître un peu empirique, mais nous la maintenons, car nous l'avons expérimentée avec succès dans notre recherche. De plus, elle est facilement applicable d'un point de vue pratique, puisqu'elle aura l'avantage de nous faire limiter spontanément l'apport en mauvaises graisses. Il y a aussi une certaine logique à procéder ainsi. En effet, pour leurs besoins énergétiques, les muscles utilisent les acides gras prioritairement au sucre, et la présence simultanée des deux dans la circulation sanguine se traduira par une sous-utilisation du sucre. Cela entraînera une plus grande sécrétion d'insuline et une plus grande transformation du sucre en graisses de réserve.

Au départ, la méthode Montignac était destinée à la perte de poids, et elle reposait essentiellement sur les principes que nous venons d'énoncer. Au fil des années, elle est venue se bonifier par des choix plus judicieux sur le plan des graisses. Ainsi, lors de notre recherche, nous avons limité l'apport en graisses à 30 % de l'apport énergétique total. Le lecteur n'a pas à faire de savants calculs, car il peut arriver à ce pourcentage facilement et spontanément en faisant les choix judicieux entre bonnes graisses et mauvaises graisses et, entre autres, en limitant l'apport en graisses animales, tel qu'énoncé au chapitre IV (voir p. 31).

Le tableau suivant résume l'approche alimentaire privilégiée lors de notre projet de recherche et qui s'est avérée si efficace tant sur la diminution spontanée de l'apport calorique que sur le plan des effets bénéfiques sur le bilan métabolique.

TABLEAU I
LES PRINCIPES DE BASE
• Éviter les aliments ayant un index glycémique supérieur à 50 (voir chapitre suivant).
• Éviter les graisses avec les aliments ayant un index glycémique entre 20 et 50.
• Manger à volonté les aliments ayant un index glycémique plus petit que 20 et les aliments à base de protéines.
• Privilégier les bonnes graisses et limiter l'apport en graisses animales.
• Manger à sa faim sans limiter les quantités.

Chapitre II

Les index glycémiques ou le pouvoir de distinguer entre les bons et les mauvais sucres

L'index glycémique est un concept élaboré en 1981 par le docteur David Jenkins, un Canadien de Toronto. Dans *Bon poids, bon cœur avec la méthode Montignac*, nous avons décrit de façon détaillée comment déterminer cet index. En bref, voici la définition stricte de l'index glycémique d'un aliment : c'est la réponse du taux du sucre sanguin à une portion d'un aliment contenant 50 g de glucides, la référence étant le glucose dont l'index glycémique est de 100. Plus l'index glycémique est élevé, plus le pouvoir sucrant de l'aliment est important, et plus grande sera la sécrétion d'insuline. Exemple : le pouvoir sucrant du pain blanc, dont l'index glycémique est de 70, est beaucoup plus important que celui des lentilles, dont l'index glycémique est de 30.

Les facteurs qui déterminent la valeur de l'index glycémique sont multiples. Ils vont conditionner la rapidité avec laquelle le glucide contenu dans l'aliment est absorbé dans l'intestin ainsi que son traitement dans le foie. De façon pratique, il faut retenir que, contrairement à ce qui est encore véhiculé par diverses instances, l'absorption des sucres n'a rien à voir avec leur composition chimique (voir *Bon poids, bon cœur avec la méthode Montignac*, p. 88).

Aussi, des autorités aussi prestigieuses que le docteur Walter Willett, directeur du département de nutrition à l'université Harvard de Boston, affirment-elles maintenant sans ambages que la classification entre sucres simples et complexes n'est d'aucune utilité du point de vue métabolique ou physiologique. Par exemple, les pommes de terre et le riz, classés comme des sucres complexes, ont, en fait, un index glycémique élevé, alors que le fructose, un sucre simple, a un index glycémique bas.

En règle générale, et nonobstant la nature intrinsèque de l'aliment, il est aussi utile de retenir que plus un aliment est cuit, raffiné ou moulu, plus il aura tendance à avoir un index glycémique élevé. À l'inverse, un contenu plus élevé en fibres ou en graisses, ou une plus grande acidité auront tendance à diminuer l'index glycémique.

Comme point de départ, et afin de situer le tout dans un contexte général, nous aimons bien le tableau suivant qui a l'avantage d'être succinct. Vous trouverez une énumération plus détaillée dans l'annexe I (p. 235). L'information concernant l'index glycémique n'est pas disponible pour plusieurs produits industrialisés, et il serait de toute façon impossible d'en donner une liste exhaustive. Dans ces cas, il est important de bien lire les étiquettes ; nous consacrons deux chapitres à cet exercice.

Comme nous l'avons vu au tableau I présenté au chapitre précédent, les sucres sont répertoriés en trois catégories, c'est-à-dire ceux à éviter (index glycémique supérieur à 50), ceux à ne pas consommer en même temps que des aliments gras (index glycémique entre 20 et 50) et ceux qui peuvent être consommés à volonté (index glycémique inférieur à 20).

TABLEAU II
LES BONS ET LES MAUVAIS SUCRES

Index glycémique bas (< 20) • À consommer à volonté	
Légumes (la plupart)	Yogourt nature (aromatisé ou non de fruits frais)
Tomate	Noix (amandes, noix de Grenoble, etc.)
Salade	
Concombre	Graines (soya, tournesol, etc.)
Champignon	Arachides

Index glycémique intermédiaire (entre 20 et 50) • Ne pas consommer avec des graisses	
Pains 100 % blé entier	Fruits (sauf banane, ananas, mangue)
Spaghettis (blé entier cuits *al dente*)	Riz sauvage
Shredded Wheat de blé entier	Orge
Muesli sans sucre	Légumineuses (lentilles, pois chiches, fèves, haricots, etc.)
Céréales All Bran ou Fibre I	

Index glycémique élevé (> 50) • À éviter	
Pomme de terre	Pâtes alimentaires (sauf de blé entier et cuites *al dente*)
Riz (la plupart)	Banane
Pain avec farine blanche et/ou sucre	Ananas
Craquelins	Boisson gazeuse avec sucre
Sucre	Jus d'orange sucré
Miel	Boisson énergisante (exemple : Gatorade)
Maïs	
Céréales avec sucre	Barres de céréales (presque toutes sucrées)
Yogourt aux fruits avec sucre	Biscuits de fabrication industrielle
Chocolat (sauf > 70 % cacao)	Barre énergisante
	Punch aux fruits

Bien que donnant des résultats indéniables, si on en tient compte dans la pratique, les index glycémiques sont imparfaits. En effet, il serait théoriquement préférable d'avoir des index de charge glycémique en relation avec l'ingestion d'une portion standard de l'aliment, plutôt qu'avec la quantité de l'aliment contenant 50 g de glucides.

Ainsi, les carottes, qui ont un index glycémique très élevé à 92, ne contiennent en fait que 6 g de glucides par portion standard de 80 g; on peut donc considérer la charge glycémique de cette portion de 11 uniquement, c'est-à-dire l'index glycémique de 92 (obtenu pour 50 g) multiplié par 6/50. En effet, pour atteindre l'index glycémique de 92, il faudrait manger 667 g de carottes! À l'inverse, le chocolat à 70 % ou plus de cacao, dont l'index glycémique est bas (22), contient environ 30 g de glucides par portion standard de 50 g; la charge glycémique de cette portion est donc de 13 (22 x 30/50), soit plus que la portion standard de carottes. Qui plus est, si vous mangez toute la tablette de chocolat de 100 g, la charge glycémique doublera et sera alors de 26.

Le concept de la charge glycémique vient donc bonifier l'application du principe des index glycémiques en réhabilitant partiellement certains aliments, telles les carottes, et en mettant un certain bémol sur d'autres, tel le chocolat à 70 %. Ainsi, alors que les carottes devraient en principe être complètement bannies, nous les permettons maintenant avec modération. À l'inverse, le chocolat à 70 % est toujours permis, mais il faut néanmoins faire preuve de modération et ne pas en consommer en quantité illimitée. Ces précisions sont mineures et, comme nous le verrons, elles ne viendront pas nous compliquer la vie outre mesure. Les curieux qui voudraient s'amuser davantage avec le concept de la charge glycémique (nous avons reçu quelques courriels à ce sujet) pourront toujours se référer à un article exhaustif de plus de 50 pages publié en juin 2002 dans l'*American Journal of Clinical Nutrition* par Foster-Powell et coll. de l'université de Melbourne (service du professeur J. Brand-Miller). Les index et les charges glycémiques de plus de 1500 produits différents y sont répertoriés. Malheureusement, la plupart de ces produits sont fabriqués en Australie, et la composition d'un produit d'une même marque pouvant varier d'un pays à l'autre, cela ne simplifie pas la situation.

Pour notre part, nous nous en tenons à l'approche éprouvée tant dans nos recherches que dans notre vie personnelle. La charge glycémique est un concept attrayant d'un point de vue théorique, mais son application pratique dans la vie de tous les jours n'a jamais été validée. Ainsi, à ce stade-ci, nous ne pouvons l'adopter de façon intégrale – hormis certaines situations spécifiques –, d'autant plus qu'elle introduirait un aspect quantitatif et restrictif que nous voulons à tout prix éviter. Un des grands avantages de notre approche n'est-il pas le fait qu'une fois choisis les bons aliments, nous n'avons pas à nous restreindre ou à calculer les quantités. Et ça marche bien de cette façon ! À l'occasion, nous nous servirons du concept de charge glycémique pour bonifier certaines recommandations.

Chapitre III

Comment choisir entre les bonnes et les mauvaises graisses

Il est important de bien étayer les informations sur les graisses, car ces dernières sont la pierre angulaire des recommandations officielles pour la prévention nutritionnelle des maladies cardiovasculaires. Il est clair désormais que, contrairement à ce que l'on croyait, toutes les graisses ne sont pas mauvaises et qu'il y en a aussi de bénéfiques, voire d'essentielles. Ceux qui souhaitent plus de détails se référeront à *Bon poids, bon cœur avec la méthode Montignac*, qui consacre deux chapitres à ce sujet.

Pour faire les bons choix de graisses, il est important de connaître les termes permettant de distinguer les bonnes des mauvaises graisses. De toute façon, ils sont appelés à devenir familiers, car ils sont de plus en plus utilisés sur les étiquettes des produits alimentaires (l'inscription de certains d'entre eux devenant même obligatoire). Le tableau suivant énumère les bonnes et les mauvaises graisses, ainsi que leurs principales provenances.

TABLEAU III
LES BONNES ET LES MAUVAISES GRAISSES

Bonnes graisses	Principales sources
Acides gras monoinsaturés	Huiles d'olive, de canola, de maïs, de soya, de tournesol, graisse d'oie et de canard
Acides gras polyinsaturés	
– série oméga 3	Huiles de canola, de noix et de soya, poissons gras (thon, sardine, saumon sauvage, maquereau, hareng, anchois)
– série oméga 6	Huiles de tournesol, de maïs, de soya, de canola, d'olive, graisse d'oie et de canard
Mauvaises graisses	**Principales sources**
Acides gras saturés	Viande, charcuterie, abats, peau de volaille, beurre, crème, huiles de noix de coco, de palme, de palmiste et de friture, margarine solide, shortening
Acides gras hydrogénés et/ou trans	Huile raffinée ou chauffée, plusieurs produits industrialisés solides (margarine dure, biscuit, barre de céréales, brioche, pâtisserie, poudre pour sauce ou soupe instantanée, etc.)
Acides gras peroxydés	Huile exposée à la lumière ou à la chaleur

Sur les étiquettes, le type de graisse (acides gras polyinsaturés, saturés, etc.) se retrouvera dans le tableau intitulé «Valeur nutritive» ou «Information nutritionnelle», tandis que la provenance de ces mêmes acides (huile d'olive, etc.) est inscrite dans la liste des ingrédients (voir chapitre V, p. 38). Il faut aussi savoir que la plupart des huiles contiennent à la fois de bonnes et de mauvaises graisses. On aura donc avantage à choisir celles qui contiennent proportionnellement le plus de bonnes graisses. Par exemple, les huiles de soya et d'arachide contiennent une bonne proportion d'acides gras mono- et polyinsaturés (bons) mais aussi une bonne quantité d'acides gras saturés (mauvais). On leur préférera donc les huiles d'olive ou de canola, car elles contiennent les mêmes bonnes graisses mais avec beaucoup moins de mauvaises.

Certains principes par rapport aux acides gras sont aussi importants à connaître :

- Les acides gras saturés (mauvais) sont souvent d'origine animale. Plus un aliment en contient, plus il aura tendance à avoir une consistance solide à température de la pièce (gras de viande, beurre, etc.).

- Il en va de même pour les acides gras trans qui résultent le plus souvent d'une transformation industrielle destinée à donner une consistance plus solide à certains produits (margarine dure, biscuit, barre de céréales, brioche, pâtisserie, poudre pour sauce ou soupe instantanée, etc.). À moins d'indication contraire, tout produit industrialisé contenant une bonne quantité de gras et se présentant sous une forme solide est donc *a priori* suspect.

- La cuisson a tendance à hydrogéner les huiles, c'est-à-dire à les transformer en gras saturés (mauvais). Cependant, certaines sources de gras sont plus résistantes (huiles d'olive, d'arachide, de maïs et de tournesol, graisse d'oie) que d'autres (huiles de canola, de soya, de noix) à l'hydrogénation : elles seront donc à privilégier pour la cuisson. Il va aussi de soi que les huiles sont préférables au beurre et aux margarines dures, mais souvenons-nous que, lorsqu'elle est possible, la cuisson sans gras est toujours préférable.

• Les huiles ont tendance à se peroxyder et à s'hydrogéner à la lumière et à la chaleur. Il faut donc les conserver au frais et à l'abri de la lumière. Certaines, comme l'huile de canola, ont un point de fusion très bas et peuvent même être conservées sans problème au réfrigérateur. Le tableau ci-dessous résume les principales pratiques pour choisir judicieusement les graisses.

TABLEAU IV
BIEN CHOISIR SES GRAISSES

Limiter le plus possible l'apport :
• de viandes ;
• de charcuteries grasses ;
• d'abats ;
• de peau de volaille ;
• de laitages entiers ou demi-écrémés ;
• de pâtisseries, viennoiseries, biscuits, pains industriels ;
• d'autres produits transformés contenant du gras sous forme solide ;
• de margarines emballées dans du papier ;
• d'huiles de palme et de palmiste ;
• de noix de coco ;
• de beurre (maximum : 10 g de beurre frais/jour) ;
• de shortening.

Privilégier :
- les huiles d'olive et de canola ;
- les poissons gras (sardine, thon, maquereau, saumon sauvage) 3 à 4 fois/semaine ;
- les margarines enrichies en oméga 3, en phytostérols et/ou en acide alpha-linolénique.

Utiliser de façon modérée (gras saturés) :
- les viandes peu grasses (bœuf, porc, veau sans gras visible, etc.) ;
- les œufs ;
- le blanc de volaille (dinde, poulet) ;
- les laitages écrémés et les yogourts ;
- les fromages ;
- les fruits oléagineux : noix, noisettes, amandes, avocat ;
- la graisse d'oie ou de canard ;
- les charcuteries peu grasses : jambon de Paris dégraissé ;
- le chocolat noir à plus de 70 % de cacao.

L'expérience nous a prouvé qu'en suivant ces lignes de conduite et en ne mangeant pas de graisses en même temps que des glucides à index glycémique modéré, l'apport en graisses demeure tout à fait modéré et acceptable. Qui plus est, ces recommandations privilégient les bonnes graisses dont certaines ont un effet de prévention sur les maladies cardiovasculaires.

À ce sujet, nous insistons en particulier sur la consommation des acides gras oméga 3 qui auraient un tel effet préventif, et dont notre alimentation nord-américaine est en général déficiente. Les personnes préoccupées par les effets d'une consommation modérée d'œufs et de fromages peuvent se rapporter aux pages 149 à 153 de *Bon poids, bon cœur avec la méthode Montignac*.

Le rôle des protéines

Finalement, voici un bref rappel du rôle des protéines, les grandes inconnues de notre alimentation. Une quantité minimum est nécessaire pour assurer les besoins essentiels de l'organisme en acides aminés. À cet égard, notre alimentation occidentale ne présente généralement aucun problème. Dans certains milieux, les protéines ont eu mauvaise presse parce qu'on les associait d'emblée à une consommation importante de graisses animales donc mauvaises. Or, ce n'est pas nécessairement le cas, puisqu'elles peuvent être d'origine végétale.

Après vérification exhaustive auprès de collègues et dans la littérature scientifique, il n'a jamais été prouvé qu'une augmentation modérée de la consommation de protéines ait un effet néfaste sur notre santé. Lors de notre recherche, nous avons constaté effectivement qu'en utilisant notre méthode il y avait augmentation spontanée de la consommation de protéines mais sans aucun effet négatif sur le plan métabolique. Qui plus est, il est bien possible que ces protéines supplémentaires soient en partie responsable des effets bénéfiques observés sur le plan de la satiété et de la perte de poids lors du suivi de cette méthode.

Le point important à retenir est que cette approche nutritionnelle fournit amplement de protéines sans aucun effet nocif. Il faut évidemment privilégier les sources de protéines d'origine végétale (noix, légumineuses, tofu) ou d'origine animale contenant le moins de mauvaises graisses possible (poisson ou volaille).

Chapitre IV

Faire les bonnes combinaisons alimentaires

De plus en plus de recherches démontrent que manger simultanément des sucres et des gras entraîne une sécrétion encore plus grande d'insuline que d'ingérer ces mêmes sucres seuls. Cela serait dû au fait que, en présence simultanée des sucres et des gras, les cellules musculaires utilisent de préférence ces derniers pour leurs besoins énergétiques. Les sucres présents dans la circulation étant moins utilisés, le taux de glycémie demeure donc plus élevé, ce qui entraîne vraisemblablement une sécrétion plus importante d'insuline.

Par conséquent, les sucres excédentaires sont transformés en graisses dans le foie et stockés en plus grande quantité dans les cellules graisseuses. À cause du taux d'insuline plus élevé entre les repas, les graisses ainsi stockées sont plus difficiles à utiliser. C'est probablement pour cette raison que l'on constate souvent chez les obèses une augmentation paradoxale de l'appétit malgré la présence de réserves énergétiques en quantité abondante (et même surabondante !) dans les cellules graisseuses.

Les hypothèses mentionnées ci-dessus doivent encore faire l'objet d'études approfondies, et le rôle de ce guide n'est pas d'en discourir en détail. Néanmoins, nos recherches ont prouvé que la méthode visant à ne pas ingérer d'aliments gras simultanément avec certains aliments sucrés s'avère très efficace pour diminuer la sécrétion d'insuline au cours de la journée. Nous avons aussi démontré qu'il en résulte une diminution spontanée et très significative de l'appétit et de la consommation énergétique globale (voir *Bon poids, bon cœur avec la méthode Montignac*, p. 107).

Grâce à ces résultats et à notre expérience personnelle, nous avons acquis la conviction que l'approche basée sur les combinaisons alimentaires doit être maintenue et qu'elle n'est pas étrangère aux succès obtenus sur le plan du bilan énergétique et sur ses effets sur le plan des paramètres métaboliques.

L'avenir nous dira si la méthode actuelle aura besoin d'être modifiée ou bonifiée. Pour l'instant, nous continuons à l'utiliser selon les principes décrits originalement (voir chapitre I) et mis en application dans le projet de l'Université Laval. D'autant plus que notre expérience quotidienne nous a démontré qu'elle n'est pas du tout difficile à appliquer.

Le tableau suivant est un résumé pratique de cette méthode basée sur les combinaisons alimentaires. Les aliments des colonnes A et B ne doivent pas être consommés au cours d'un même repas, car ceux de la colonne A ont un pouvoir sucrant intermédiaire (index glycémique entre 20 et 50) et ceux de la colonne B sont des aliments gras. Dans la première colonne, vous trouverez les aliments à éviter complètement : ceux qui ont un pouvoir sucrant élevé (index glycémique > 50) et les mauvaises graisses. Enfin, la dernière colonne contient les aliments à pouvoir sucrant faible (index glycémique < 20). On peut les consommer à volonté. Ils incluent la plupart des fruits et des légumes.

TABLEAU V			
L'ABC DES COMBINAISONS ALIMENTAIRES			
À ÉVITER	**A** GLUCIDES (sucres)	**B** LIPIDES (graisses)	**C** À VOLONTÉ
GRAINS LÉGUMES LÉGUMINEUSES Pomme de terre Carotte cuite Maïs Betterave	Haricot sec Quinoa Lentille Pois chiche Pois vert Pâte de blé entier Riz basmati Riz sauvage Semoule de blé entier	Avocat Olive	Artichaut Aubergine Brocoli Carotte crue Champignon Chou Chou-fleur Cœur de palmier Courgette Haricot Légume vert Oignon Poireau Poivron Radis Tomate
VIANDES POISSONS ŒUFS Gras visible de la viande Peau des volailles		Viande Œuf	Poisson Fruits de mer

	À ÉVITER	A GLUCIDES (sucres)	B LIPIDES (graisses)	C À VOLONTÉ
TABLEAU V (SUITE)			
L'ABC DES COMBINAISONS ALIMENTAIRES			
PRODUITS LAITIERS	Beurre surchauffé dans la poêle		Beurre Fromage	Lait écrémé Fromage cottage à 1 % Yogourt sans gras, sans sucre
DIVERS	Biscuit Boisson gazeuse Bonbon Sucre Miel Confiture sucrée Céréale sucrée Farine raffinée Pain blanc Riz blanc Huile de palme Huile de coco Ketchup	Pain de blé entier Céréale complète sans sucre Confiture, compote et marmelade sans sucre	Huile de canola Huile d'olive Huile de noix Huile d'arachide	Fruits frais

Lors d'un même repas, on évite de manger des aliments du groupe A et du groupe B.

Un tableau similaire a déjà été publié dans *Bon poids, bon cœur avec la méthode Montignac*, p. 259. Lors d'une entrevue radiophonique sur le sujet, Daniel Pinard en a grandement vanté les mérites allant même jusqu'à affirmer que toute personne désireuse d'adopter cette approche alimentaire devrait l'afficher sur la porte du réfrigérateur.

La première version du tableau remonte à il y a maintenant 7 ans, alors que nous avions voulu résumer les principes de la méthode afin de mieux les appliquer personnellement. Devant notre évidente perte de poids, des amis et des connaissances nous avaient ensuite demandé des photocopies de ces principes résumés, qu'ils ont à leur tour transmis à d'autres. Le succès fut tel que, en quelques mois, nous avons eu la surprise de retrouver ce tableau un peu partout, y compris dans la cuisine d'un restaurant qui faisait l'objet d'un reportage au bulletin de nouvelles télévisé.

Voir l'annexe I, p. 236 pour une version beaucoup plus détaillée du tableau.

Chapitre V

Savoir lire les étiquettes : un must

De prime abord, il est évident que consommer des produits frais plutôt que des produits industrialisés est préférable pour la santé. Pour cela, il faudrait pouvoir faire le marché tous les jours, ce qui n'est malheureusement pas toujours possible avec la vie actuelle de plus en plus trépidante.

Ainsi, nous sommes tous plus ou moins condamnés à consommer des produits industrialisés. Le fait de moins manger de produits frais et plus de produits industrialisés depuis vingt ans fait partie d'ailleurs des hypothèses avancées pour expliquer le fait que les Nord-Américains sont plus obèses que les Français.

En Amérique du Nord, il y a plus de 320 000 produits alimentaires industrialisés, dont 50 000 peuvent se retrouver simultanément sur les étalages d'un même supermarché ! Dès lors, il devient impossible de tous les répertorier quant à la nature des graisses et des sucres qu'ils contiennent. Le seul moyen d'en évaluer le contenu est de bien savoir lire les étiquettes. L'exercice est d'autant plus indispensable que les produits industrialisés sont souvent «trafiqués» avec du sucre et des mauvaises graisses sans que cela soit nécessairement évident pour le consommateur. Une bonne lecture des étiquettes s'avère donc une condition essentielle de réussite.

Les deux chapitres que nous consacrons à ce sujet ont donc une importance capitale. Dans le premier, nous décrivons le contenu des étiquettes et nous les interprétons, tandis que le deuxième présente des exemples concrets permettant de tester les connaissances acquises. De prime abord, un tel exercice peut sembler fastidieux et, dans les faits, vous devrez faire un effort supplémentaire au début. Cependant, vous apprendrez rapidement à reconnaître les bons produits, et la lecture de l'étiquette ne deviendra nécessaire que lorsque vous voudrez évaluer un nouveau produit.

Les étiquettes font état de deux types de renseignements : la liste des ingrédients du produit et une énumération quantitative de la nature de ces ingrédients (glucides, protéines, etc.). Autrefois, cette dernière était intitulée «Information nutritionnelle», mais elle a été récemment renommée «Valeur nutritive», selon les nouvelles normes émises par Nutrition Canada. Malheureusement, elle n'est pas toujours présente ou peut être illisible sur les petits formats. Dans ce cas, consultez l'information sur les plus grands formats.

La liste des ingrédients

Les ingrédients contenus dans un produit sont énumérés par leur ordre d'importance, c'est-à-dire leur poids relatif à l'intérieur du produit. Ainsi, prenons l'exemple d'une céréale du matin dont la liste d'ingrédients est la suivante :

Ingrédients : maïs en flocons moulu, sucre/glucose-fructose, arôme de malt, sel, colorant, vitamines (chlorhydrate de thiamine, niacinamide, chlorhydrate de pyridoxine, acide folique, d-pantothénate de calcium), fer, pour conserver la fraîcheur du produit, du BHT a été ajouté au matériel d'emballage. Contient des traces de soya.

La quantité relative de chacun des ingrédients n'est pas inscrite. En contrepartie, des quantités sont bien inscrites dans la liste intitulée « Valeur nutritive », mais elles se rapportent aux catégories d'aliments (glucides, lipides ou protides) et non aux ingrédients en tant que tel. Ainsi, dans l'exemple donné ci-dessus, la liste « Valeur nutritive » indique qu'une portion standard de cette céréale renferme 19 g de glucides, mais, étant donné que le maïs en flocons moulu et le sucre sont tous deux des glucides, il nous est impossible de savoir la proportion de chacun de ces ingrédients.

De façon pratique, il faut être très prudent, voire éviter le produit, dès qu'un ingrédient à index glycémique élevé se retrouve au niveau des trois ou quatre premiers ingrédients. Dans l'exemple présent, la question ne se pose même pas, puisque le maïs en flocons et le sucre ont tous deux un index glycémique élevé. Nous n'aurions même pas besoin de consulter la liste intitulée « Valeur nutritive ».

L'information nutritionnelle

Il n'y a actuellement pas d'uniformité dans l'affichage de l'information nutritionnelle (ou valeur nutritive). Nutrition Canada décrit ainsi textuellement la situation :

«Présentement, plusieurs aliments affichent l'étiquetage nutritionnel. Cependant, l'information est souvent difficile à trouver, sa présentation n'est pas uniforme et parfois difficile à déchiffrer. Une présentation uniforme permet[trait] une meilleure lisibilité et rend[rait] l'information plus facile à repérer, à comprendre et à utiliser.»

L'étiquette... avant

Nous sommes tout à fait d'accord avec cette affirmation qui ne fait que souligner la grande confusion de la situation présente. La version la plus simple de l'information nutritionnelle ou valeur nutritive se présente habituellement comme suit :

INFORMATION NUTRITIONNELLE
PORTION 125 G
Énergie : . . . . 104 cal / 440 kj
Protéines : . . . . 4,2 g
Matières grasses . . . . 1,2 g
Glucides : . . . . 19 g
L'apport quotidien recommandé : calcium . . . . 13 %

Seuls sont indiqués le nombre total de calories par portion et la subdivision des quantités en protéines, matières grasses et glucides (sucres). Malheureusement, avec cet étiquetage, pas moyen de discerner les bonnes graisses des mauvaises ou les bons sucres des mauvais. Pour y arriver, il faudrait consulter la liste des ingrédients, et il subsisterait dans plusieurs cas des interrogations.

Nutrition Canada présente comme suit son nouvel étiquetage :

L'étiquette... après

Le nouvel étiquetage nutritionnel amélioré concerne les éléments suivants :

«• Une nouvelle appellation : Valeur nutritive.

• Une plus grande uniformité des portions qui servent à établir les valeurs nutritives.

• Une liste plus longue d'éléments nutritifs.

• Une présentation uniformisée, en caractères gras, claire et facile à lire.

• Une apparence uniforme d'un produit à l'autre.

• Une information sur la valeur nutritive sera plus facile à repérer.

• Une valeur quotidienne qui donne un contexte à la quantité réelle. Elle indique s'il y a beaucoup ou peu de l'élément nutritif dans une portion donnée de l'aliment. »

VALEUR NUTRITIVE POUR 1 TASSE (264 G)	
Quantité	**% valeur quotidienne***
Calories 260	
Lipides 13 g	20 %
Saturés 3 g	25 %
+ Trans 2 g	
Cholestérol 30 mg	
Sodium 660 mg	28 %
Glucides 31 g	10 %
Fibres 0 g	
Sucres 5 g	
Protéines 5 g	
• Vitamine A 4 %	• Vitamine C 2 %
• Calcium 15 %	• Fer 4 %

*   Le «% valeur quotidienne» correspond au pourcentage de la valeur quotidienne maximale recommandée par Nutrition Canada.

Il s'agit là d'une nette amélioration. On notera en particulier l'identification des mauvais acides gras (saturés et trans), des fibres et des sucres. Cependant, la catégorie « glucides » et sa sous-catégorie « sucres » peuvent largement porter à confusion, puisqu'elles ne permettent pas vraiment de distinguer entre sucres à index glycémique élevé (mauvais) et sucres à index glycémique faible (bons). Ainsi, l'étiquette d'un produit qui contiendrait beaucoup d'amidon ou de farine pourrait indiquer, comme dans l'exemple ci-dessus, une quantité relativement importante de glucides (31 g) par rapport à une quantité relativement faible de sucres (5 g) et donner la fausse impression qu'il s'agit de bons glucides, ce qui ne serait manifestement pas le cas.

Une classification qui tiendrait compte des index glycémiques serait beaucoup plus logique, mais il ne semble pas que ce soit demain la veille… Pour cette raison, il faut aussi consulter la liste des ingrédients afin de s'assurer que le produit ne contient pas de mauvais sucres (amidons, farine blanche, etc.) parmi ses principaux ingrédients.

En règle générale, la lecture du tableau « Valeur nutritive » permet d'éviter d'emblée les produits dont le contenu en sucres, acides gras saturés ou acides gras trans dépasse 2 g par portion. Il permet aussi de faire un meilleur choix parmi les produits qui contiennent des bonnes et des mauvaises graisses. Ainsi, à la lecture de l'étiquette, on privilégiera la consommation des huiles d'olive ou de canola plutôt que celles d'arachide ou de soya.

Le même tableau permet aussi d'identifier plus facilement les produits riches (> 2 g) en fibres ou en acides gras mono ou polyinsaturés (bonnes graisses). Il faut se souvenir que notre alimentation moderne a tendance à être particulièrement déficiente en fibres et en acides gras polyinsaturés oméga 3 (voir *Bon poids, bon cœur avec la méthode*

Montignac, p. 134-135), et que ces derniers ont une importante valeur préventive sur le plan cardiovasculaire.

Nutrition Canada a mis en vigueur ce nouvel étiquetage en janvier 2003 et, selon la taille des entreprises, l'industrie agroalimentaire a de 3 à 5 ans pour s'y conformer. La directive s'applique aux produits de fabrication et non aux produits frais comme les fruits, les légumes, les viandes ou les poissons. Au cours de la période de transition, les informations demeureront probablement ambiguës ou incomplètes.

TABLEAU VI
AIDE-MÉMOIRE POUR MIEUX LIRE LES ÉTIQUETTES

Liste des ingrédients
Définition : ce que contient le produit par ordre d'importance.
- Éviter les produits qui contiennent des ingrédients à IG élevé dans les 3 ou 4 premiers éléments.

Valeur nutritive (ou information nutritionnelle)
- Définition : classification du contenu en fonction du type de glucides (sucres), lipides (gras) ou protéines.
- Rechercher les produits qui ont une teneur élevée (> 2 g) en fibres et en acides gras mono- et polyinsaturés (particulièrement oméga 3).
- Éviter les produits dont le contenu en sucres, acides gras saturés ou acides gras trans dépasse 2 g par portion.
- Pour les glucides, se fier en priorité à la liste des ingrédients pour connaître les mauvais sucres*.

---

*   Sont des équivalents du sucre dans la liste des ingrédients : glucose, jus ou sucre de canne, eau ou sirop d'érable, miel, sirop d'agave, de maïs, de malt ou de riz, mélasse, caramel, sucre de palme, cassonade, sucre candi, sucre inverti, maltodextrine, maltilol, dextrine, sucrose, dextrose, maltose, lévulose mais aussi la farine blanche ou enrichie, amidons ou fécules de tous genres, etc.

Chapitre VI

La lecture des étiquettes

Séparer le bon grain de l'ivraie

La lecture des étiquettes vous révélera des choses qui vous paraîtront étonnantes. Ainsi, certains produits qui ont l'apparence ou la prétention d'être « santé » renferment souvent des ingrédients à index glycémique très élevé, donc des mauvais sucres, ce qui, on le sait désormais, est susceptible d'avoir des effets néfastes sur votre santé. C'est le cas notamment de la plupart des « pains bruns » ou dits de blé entier, des céréales pour le petit-déjeuner, des yogourts et des boissons dites aux fruits.

De fait, vous serez très surpris de constater que la plupart des produits « santé » contiennent des quantités importantes de farine raffinée, d'amidon ou de sucre. Qui plus est, nombreux sont les consommateurs bien intentionnés qui accepteront de payer plus cher pour se procurer de tels produits en ayant l'impression d'accomplir un bon geste pour leur santé et celle de leur famille. Or, à

l'analyse, ces produits ne valent pas mieux que leurs équivalents, que ce soit le pain blanc, les boissons gazeuses, la
crème glacée ou les desserts.

Il est aussi regrettable de constater que, quelle qu'en
soit la version, ces produits sont au cœur de notre alimentation nord-américaine et qu'ils sont probablement
pour une large part responsables de l'épidémie d'obésité
que nous connaissons actuellement.

Les pains

La farine blanche, on le sait, a un index glycémique
élevé. Les pains blancs ne sont donc pas à privilégier. Ce
que l'on sait moins cependant, c'est que la plupart des
pains dits de blé entier ou « pains bruns » contiennent des
quantités importantes de farine blanche. Pour obtenir
cette appellation, il a suffi d'inclure une certaine quantité
de farine de blé entier, même si, proportionnellement, elle
est moins importante que la quantité de farine blanche.

Dans la liste des ingrédients, on verra aussi souvent
l'ajout d'une quantité non négligeable de sucre et même
parfois de la mélasse pour donner au pain une couleur
plus brune ! De fait, seuls les pains 100 % de blé entier ne
contiennent pas de farine blanche et, si l'on veut être tout
à fait conforme à la méthode, il faut s'assurer qu'ils ne
contiennent pas non plus de sucre ou de gras.

Néanmoins, de tels pains, qui, auparavant, n'étaient
offerts que dans les magasins d'aliments naturels se
trouvent désormais dans les magasins à grande surface et
même à très grande surface comme Cotsco. Cet exemple
illustre comment les forces du marché peuvent parfois
jouer dans le bon sens.

Dans les pains à 100 % de blé entier, on distingue
différentes catégories, selon que la farine a été moulue de

façon plus grossière sur meule de pierre ou par procédé industriel. Les moutures plus grossières conservent plus de fibres et ont donc un index glycémique plus bas. Elles ont aussi plus de goût mais coûtent plus cher. Par exemple, le pain Saint-Méthode, à 100 % de blé entier sans gras sans sucre, est un pain de fabrication industrielle qui se vend à prix populaire. Dans une catégorie intermédiaire, nous placerions à titre d'exemple le pain intégral fabriqué au Lac-à-la-Tortue en Mauricie et aussi proposé dans les grandes surfaces. Finalement, les meilleurs sont les pains de fabrication spécialisée comme le pain Montignac ou plusieurs autres pains de fabrication artisanale. On les trouve habituellement dans les petites boulangeries et parfois dans certains supermarchés (se souvenir que la demande finira par déterminer la disponibilité !).

Si aucune étiquette n'est présente sur le pain, il faut demeurer prudent et s'enquérir de sa composition, pour savoir notamment s'il est vraiment fait de blé entier à 100 % et s'il contient du sucre et des gras saturés. Le processus peut paraître un peu compliqué au début, mais, après un minimum de recherches, on fixera rapidement son ou ses choix selon ses goûts et son budget. Cet exercice est néanmoins nécessaire puisque le pain est une partie importante de notre alimentation. Rappelons toutefois que dans notre approche alimentaire, nous n'en consommons que le matin, sauf exception.

Les céréales

Plus que le pain, les céréales sont généralement vues, de façon universelle, comme un aliment « santé ». Toute la publicité autour de ces produits est orientée en ce sens, et toutes les générations récentes ont été élevées en se faisant dire que manger des céréales le matin constituait un bon départ pour la journée! Or, il faut savoir que plus de 95 % des céréales sont bourrées de sucre ou d'amidon et ont donc un index glycémique élevé.

Ainsi, des céréales très populaires comme Corn Flakes et Raisin Bran ont respectivement des index glycémiques de 86 et 61! De tous les produits commerciaux que nous connaissons, seuls certains mueslis (lire les étiquettes), le Shredded Wheat & Bran à 100 % de blé entier, le son d'avoine à 100 % et les Fibre I ne contiennent pas de sucre, d'amidon ou de farine raffinée. Les Kellogg's All-Bran renferment malheureusement du sucre mais demeurent acceptables, car leur contenu important en fibres vient diminuer l'index glycémique global. Sauf exception, le gruau n'est pas acceptable à cause de son degré de raffinement et parce que la cuisson entraîne une gélatinisation qui augmente l'index glycémique.

Personnellement, nous nous limitons à des Shredded Wheat à 100 % de blé entier (Shredded Wheat & Bran) ou à des mueslis sans sucre auxquels nous ajoutons des Fibre I pour augmenter le contenu en fibres. À défaut de Fibre I, nous y ajoutons du All-Bran.

Pour mieux comprendre cette confusion apparente concernant les céréales, souvenons-nous que, jadis, ce terme s'appliquait aux grains entiers tels l'orge, le millet, le seigle, le blé entier, etc. Ensuite, on s'en est servi pour nommer les produits industrialisés. Espérons que, comme pour le pain, des céréales plus intéressantes prendront place sur le marché.

À ce sujet, il est important de faire une sévère mise en garde à l'égard des barres dites de céréales promues de façon quasi subliminale comme étant des aliments santé (Nutribar, Barres tendres, etc.). Non seulement contiennent-elles des quantités importantes de sucre, mais pour leur donner une consistance solide et un meilleur goût, on y ajoute des quantités non négligeables de graisses saturées ou trans lors du processus d'hydrogénation (vérifier les étiquettes). De la vraie dynamite au point de vue cardiovasculaire, puisqu'elles ont non seulement un index glycémique élevé, mais qu'elles renferment également les graisses les plus mauvaises. Une recette idéale pour conduire directement à l'obésité, au diabète et aux maladies de cœur !

Les yogourts

Un autre aliment perçu et commercialisé comme aliment santé est le yogourt. À l'origine, le yogourt nature est effectivement une bonne source de protéines et de calcium ; de plus, il est faible en gras avec un index glycémique bas. Cependant, si vous regardez les étalages ou si vous interrogez les gens, force est de constater que la très grande majorité des yogourts consommés sont aux fruits et non nature.

Mais, se diront la plupart des gens, ce n'est sûrement pas une mauvaise combinaison, puisque, dans toutes les recommandations nutritionnelles, la consommation de fruits est encouragée et décrite comme excellente pour la santé. Or, la supercherie est que la plupart de ces yogourts aux fruits sont en réalité des yogourts au sucre ! Comme preuve, lisez ci-dessous la liste des ingrédients et le tableau de valeur nutritionnelle provenant d'une des marques les plus populaires, très représentatives de la grande majorité des produits vendus sur le marché :

INGRÉDIENTS :	Information nutritionnelle Portion 125 *g*
Substances laitières	
Sucre	
Framboises	Énergie . . . . 104 cal / 440 kj
Mûres de boysen	Protéines . . . . 4,2 g
Culture bactérienne active	Matières grasses . . . . 1,2 g
Protéines lactosériques	Glucides . . . . 19 g
Amidon de maïs modifié	
Arômes naturels et artificiels	Pourcentage de l'apport quotidien recommandé
Pectine	
Jus de citron concentré	Calcium . . . . 13 %
Colorant	

On remarque que le deuxième ingrédient après les substances laitières n'est pas les fruits mais bien le sucre ! La quantité exacte n'est malheureusement pas indiquée, mais, par déduction à partir de portions semblables de yogourt sans sucre, on peut estimer qu'elle est d'environ 5 à 6 g.

Le vrai choix santé serait de mélanger du yogourt nature et des fruits frais. Les yogourts aux fruits sans sucre et édulcorés à l'aspartame (Astro, Silhouette de Danone, etc.) sont une solution acceptable pour les gens pressés. Comme pour le pain, grâce à une certaine conscientisation populaire, de nouvelles marques ainsi constituées font leur apparition sur le marché. Il s'agit aussi d'un autre bel exemple de l'importance de bien lire les étiquettes. De prime abord, ces distinctions ne sont pas évidentes, mais elles feront toute la différence sur votre état de santé.

Au départ, nous avons eu nous-mêmes beaucoup de difficultés à nous y retrouver, mais une fois les bonnes marques déterminées, ça devient réellement très simple. Il est désolant de penser à tous ces gens qui, voulant bien faire pour leur santé et celle de leurs enfants, acceptent de payer plus cher pour acheter du yogourt dit aux fruits plutôt que de la crème glacée, alors qu'il n'y a vraisemblablement aucun avantage réel. De plus, dans bien des cas, ils auront dû faire ce choix au prix de la frustration de leurs enfants !

Les boissons aux fruits

Les gens sont de plus en plus conscients que les boissons gazeuses ne sont assurément pas la boisson idéale. Sous sa forme originale, chaque canette contient environ 9 cuillérées à thé de sucre ! Les fruits frais sont des aliments sains dont la consommation est encouragée. D'où l'apparition d'une panoplie de boissons aux fruits sur les étalages de nos supermarchés. Plusieurs mères de famille insisteront d'ailleurs auprès de leurs enfants, pour qu'ils en boivent à la place des boissons gazeuses. Elles sont même prêtes à payer un peu plus cher en se disant qu'il y va de la santé de leurs enfants.

Cependant, dans bien des cas, il s'agit d'une autre supercherie. En effet, la lecture des étiquettes révèle que nombre de ces boissons ne sont en fait que de l'eau sucrée colorée aux fruits et qu'elles ne valent finalement pas mieux que les boissons gazeuses. Il faut en particulier se méfier de toutes ces boissons dénommées « Punch » ou « Cocktail aux Fruits » et de boissons désaltérantes dites énergétiques comme Gatorade. Dans le cas de ces dernières, la supercherie est encore plus subtile, car les fabricants orientent leur publicité vers la promotion de l'activité physique, en donnant l'impression que la combinaison des deux, activité physique et consommation de ces boissons, est vraiment gagnante.

La première moitié de l'addition est certes vraie, mais la deuxième vient grandement annuler le bénéfice qu'on peut en tirer. Certains iront même jusqu'à dire que les compagnies agroalimentaires se servent de ce genre de publicités pour détourner l'attention du vrai problème, qui est la nutrition par rapport à l'obésité, et ainsi continuer à vendre impunément leurs produits bourrés de sucre. Ceux-ci n'étant pas rassasiants, ils stimulent au bout du compte une plus grande consommation de produits, engendrant ainsi des profits plus importants pour lesdites compagnies.

La seule appellation garantissant qu'il ne s'agit pas d'un produit trafiqué est celle de «Jus de fruits à 100 %, sans sucre ajouté». La lecture de la liste des ingrédients nous le confirmera aisément. À noter : étant débarrassés de la pulpe, les jus de fruits ont toujours un index glycémique plus élevé que le fruit frais. Il est donc toujours préférable de consommer le fruit entier plutôt que son jus.

Tout en étant acceptable, l'index glycémique des jus de fruits demeure relativement élevé. Ces derniers devraient être consommés comme boisson d'appoint et non en grande quantité pour étancher la soif, lors d'une activité sportive par exemple. Dans un tel cas, une bonne eau demeure encore la meilleure boisson, quitte à y adjoindre des fruits frais.

Testez vos connaissances

Comparez et choisissez. Voici deux produits qui se côtoient sur la tablette de votre épicerie. Lequel favoriseriez-vous?

SALSA
LISTE DES INGRÉDIENTS

Choix 1 Old El Paso® piquante moyenne	Choix 2 Humpty Dumpty®
Tomates dans du jus	Tomates écrasées
Oignons	Tomates en dés
Eau	Eau
Pâte de tomate	Poivrons verts
Poivrons jalapeños	Piments jalapeños
Vinaigre blanc	Oignons déshydratés
Sel	Vinaigre blanc
Extraits d'ail et d'épices	Sucre
Chlorure de calcium	Sel
Acide citrique	Amidon de maïs modifié
	Ail
	Épices

OBSERVATIONS ET ANALYSE

Il est facile de constater que le premier choix ne contient aucun des glucides que nous considérons indésirables, alors que, dans le second, on trouve du sucre et de l'amidon de maïs modifié. On optera sans contredit pour le premier. Toute quantité, aussi petite soit-elle, de mauvais glucide doit être éliminée. Rappelez-vous qu'il y a du sucre dans presque tout !

L'information nutritionnelle nous sera très peu utile, car ce produit ne contient pas de graisse donc aucun acide gras saturé.

Note : on peut s'inspirer de la liste des ingrédients pour se concocter une très bonne salsa maison sans amidon !

MAYONNAISE

LISTE DES INGRÉDIENTS

Choix 1 Montignac®	Choix 2 Miracle Whip légère®
Huile de canola Jaunes d'œufs congelés Eau Vinaigre de vin blanc Fructose Sel de mer Jus de citron concentré Poudre d'oignon Poudre d'ail Épices	Eau Huile de soya Sucre Vinaigre Amidon de maïs modifié Sel Œuf entier Jaune d'œuf Moutarde Colorant Sorbate de potassium Épices Gomme xanthane Edta de calcium disodique Ail séché

OBSERVATIONS ET ANALYSE

Le premier produit répond totalement à nos critères : huile de canola, fructose (IG bas). Le second est plutôt surprenant, car il contient davantage de sucre et d'amidon que d'œufs!

VALEUR NUTRITIVE

Notre étude s'arrête là, car le tableau «valeur nutritive» n'est pas disponible.

PAINS
LISTE DES INGRÉDIENTS

Choix 1 **Pain 100 % farine de blé moulue à la meule (Country Harvest®)**	Choix 2 **Pain intégral (Le p'tit boulanger®, Lac-à-la-Tortue)**
Farine de blé entier moulue sur meule Eau Gluten de blé Huile végétale (soya et/ou canola) Levure Jus de raisin concentré Sucre/glucose-fructose Miel Sel Vinaigre Esterstartriques des mono et diglycérides Diucétyles Stéaroyl Lactylate de sodium	Farine de blé intégral biologique Eau filtrée Levain Sel de mer Levure

OBSERVATIONS ET ANALYSE

Le choix 1 est fait à partir de la farine que nous privilégions. Le troisième ingrédient, le gluten de blé, permet de faire gonfler davantage le pain et n'est qu'un ajout en protéines donc, rien de négatif. Le sucre et le miel se placent uniquement en 7e et 8e positions. On peut penser que la quantité est minime.

Quant au choix 2, il nous paraît idéal. Bonne farine, pas de sucre ni de gras indésirables et bon au goût!

Donc deux pains qui se situent assurément au-dessus de la moyenne pour la qualité de leurs ingrédients, cependant le second gagne la palme, car il ne contient que de bons ingrédients.

Allons voir plus loin!

VALEUR NUTRITIVE

Choix 1 2 tranches (90 g)	Choix 2

Énergie . . . . 224 cal / 940 kj
Protéines . . . . 8,9 g
Matières grasses . . . . 3,4 g
    Polyinsaturés . . . . 1,7 g
    Monoinsaturés . . . . 0,7 g
    Saturés . . . . 0,8 g
Cholestérol 0
Glucides . . . . 39 g
    Sucres . . . . 3,5 g
    Amidon . . . . 28 g
    Fibres . . . . 5,9 g
    Soluble . . . . 1,2 g
    Insoluble . . . . 4,7 g
Sodium . . . . 431 mg
Potassium . . . . 215 mg
	Non disponible

OBSERVATIONS ET ANALYSE

La valeur nutritive n'étant pas disponible pour le deuxième produit, la comparaison sur ce plan est impossible.

Si l'on s'attarde au premier choix, on notera qu'il contient une quantité négligeable de gras saturé (0,8 g) et plus de sucre que nous souhaiterions (3,5 g). L'amidon est essentiellement celui contenu dans la farine, car aucun amidon n'est présent dans la liste des ingrédients, ce qui est très bien. La quantité de fibres, soit 5,9 g, est excellente et tend à compenser le sucre ajouté.

Comme nous ne faisons aucune concession sur le pain, le second choix sera le nôtre. Si vous ne trouvez pas de pain parfait à votre épicerie, le premier choix est acceptable.

SPAGHETTIS
LISTE DES INGRÉDIENTS

Choix 1 Catelli® Multigrains	Choix 2 Catelli® Blé entier
Semoule de blé dur entier Farine de seigle entier Son de blé Farine de sarrasin entier Farine d'orge entier Farine de riz brun Mononitrate de thiamine Riboflavine Niacine Acide folique Sulfate ferreux	Semoule de blé dur entier Mononitrate de thiamine Riboflavine Niacine Acide folique Sulfate ferreux

OBSERVATIONS ET ANALYSE

Les listes des ingrédients des deux produits sont tout à fait adéquates. Que de bonnes farines, pas de glucides ni de graisses indésirables.

Note : nous consommons le deuxième choix depuis plusieurs années. Le premier est plus récent sur le marché.

VALEUR NUTRITIVE

Choix 1 Portion : 85 g	Choix 2 Portion : 85 g
Énergie . . . . 305 cal	Énergie . . . . 315 cal
Protéines . . . . 11 g	Protéines . . . . 12 g
Matières grasses . . . . 2,0 g	Matières grasses . . . . 2,0 g
Glucides . . . . 60 g	Glucides . . . . 63 g
Fibres . . . . 6,4 g	Fibres . . . . 5,5 g
Sodium . . . . 4 mg	Sodium . . . . 3 mg
Potassium . . . . 289 mg	Potassium . . . . 280 mg

OBSERVATIONS ET ANALYSE

Un coup d'œil rapide nous permet de constater une teneur en fibres plus élevée dans le premier choix. Les deux produits sont bons, mais le premier est supérieur.

Bien que l'on ait adopté un produit, on ne doit pas négliger de le comparer, à l'occasion, avec de nouveaux produits. Il faut se rappeler que les mentalités évoluent. Dans ce cas, le même fabricant présente un produit amélioré.

Faut-il en rire ou en pleurer ?

En terminant, nous aimerions vous démontrer par quelques exemples comment la lecture des étiquettes et autres expériences peuvent aboutir à des affirmations amusantes mais aussi désolantes. La preuve une fois de plus que notre société doit parcourir encore pas mal de chemin avant d'arriver à une saine conception de l'alimentation.

1. Le pain brun est souvent coloré par la mélasse qu'il contient.

2. Les yogourts santé sont pour la plupart saturés de sucres.

3. Les barres énergisantes dites « santé » sont pleines de sucres.

4. On va même jusqu'à faire des sushis au goût américain en ajoutant du sucre dans le riz et les garnitures.

5. Les cocktails de jus de fruits qui donnent bonne conscience aux parents ne contiennent en réalité que du sucre.

6. Les muffins sont des gâteaux que l'on mange dès le début de la journée!

7. Les arachides « assaisonnées » le sont avec du sucre assurément!

8. Les buffets « Bar à salades », supposés plus santé, sont souvent constitués de plats à index glycémique élevé : salade de patates, de macaronis et de riz blanc, mayonnaises sucrées à souhait, vinaigrettes toutes plus sucrées les unes que les autres, etc.

9. Même le pain dit « intégral » peut contenir du sucre.

10. Que penser des différentes saucisses? En lisant la liste des ingrédients, on s'en fait une bonne idée… elles auront beau être aux brocolis (idée de santé), elles contiennent trop de graisses saturées et souvent trop de farine raffinée et d'amidon (mélange explosif).

11. Assaisonnement au citron et aux fines herbes : le contenu du bocal est de couleur jaune et vert... Au premier regard, cela semble intéressant! Surprise! Dans la liste des ingrédients, le sucre est en deuxième position, juste après le sel!

12. Des beurres d'arachide contiennent du lard.

13. Du sel contient du glucose...

14. Des bâtonnets de poissons contiennent du poulet.

15. Les viandes froides contiennent du sucre, de la dextrose ou une substance similaire!

16. La crème glacée Chapman's est soi-disant sans sucre... Dans la liste des ingrédients, on trouve du maltitol (IG élevé), du sucralose et de la fécule de pomme de terre. Trois composantes qui ne valent pas mieux que le sucre! Conclusion : nous devons même nous méfier parfois de l'allégation « sans sucre ».

17. Pour finir, nous aimerions vous présenter un produit qui, dans sa catégorie, n'est pas pire que bien d'autres. Il s'agit néanmoins d'un bon exemple du type de produit industrialisé se trouvant tous les jours à notre portée.

Marque	Kellogg's Nutri-Grain®
Accroche publicitaire	Faites avec une garniture de vrais fruits et des grains d'avoine entière. Nouveau et amélioré!
Variété	Fruits des champs
Indication	Faibles en gras

D'emblée, on remarque que cette étiquette comporte plusieurs allégations qui peuvent faire penser à un produit santé :

- Un nom accrocheur qui suggère que ce produit est principalement à base de grains entiers.

- L'idée de grains entiers est renforcée par la mention « faites avec une garniture de vrais fruits et des grains d'avoine entière ». En plus, on a l'impression que de vrais fruits sont l'autre ingrédient principal.

- Le « Nouveau et amélioré » suggère une amélioration nutritionnelle, mais en consultant le renvoi qui y est attaché, on lit tout simplement : « Garniture aux fruits plus généreuse et plus savoureuse ».

- Finalement, le tout est complété par l'inévitable « Faibles en gras », la dernière assurance qu'il s'agit d'un produit santé, puisque, comme le veut la croyance populaire, étant faible en gras, il ne devrait donc pas être dommageable pour notre cœur.

Or, la liste des ingrédients et l'information nutritionnelle de ce produit se lisent comme suit :

Ingrédients • Croûte : farine, sucre/glucose-fructose, avoine entière, shortening végétal, eau, miel, dextrose, substances laitières, son de blé, sel, cellulose microcristalline, bicarbonate de potassium, lécithine de soya (émulsifiant), arômes naturels et artificiels, gluten de blé, amidon de maïs, carraghénine, gomme de guar. Garniture : confiture aux fruits [glucose-fructose, purée (pommes, fraises, bleuets, framboises), eau], sucre/ glucose-fructose, glycérol, fructose, arômes naturels et artificiels, amidon de maïs modifié, alginate de sodium, acide citrique (acidulant), citrate de sodium, acide malique, phosphate de calcium, méthycellulose, colorant.

INFORMATION NUTRITIONNELLE
PAR PORTION DE 37 G (1 BARRE)

Énergie . . . . 140 cal / 580 kj	
Protéines . . . . 1,6 g	
Matières grasses . . . . 3,0 g	
Glucides . . . . 26 g	
Sucres . . . . 14 g	
Amidon . . . . 11 g	
Fibres alimentaires . . . . 1,0 g	
Sodium . . . . 100 mg	
Potassium . . . . 80 mg	
% de l'apport quotidien recommandé	
Vitamine B1 . . . . 6 %	
Vitamine B2 . . . . 3 %	
Niacine . . . . 3 %	
Folacine . . . . 7 %	
Phosphore . . . . 3 %	
Magnésium . . . . 4 %	
Fer . . . . 5 %	

On remarquera d'abord que la liste des ingrédients se divise en deux parties distinctes, soit la croûte et la garniture. En ce qui concerne la croûte, les deux premiers ingrédients sont nos deux premiers ennemis, soit la farine raffinée et le sucre (à noter que le sucre/glucose-fructose est équivalent au sucre de table et n'a rien à voir avec le fructose pur). L'avoine entière (soit le grain entier annoncé) ne vient qu'au troisième rang, suivie par le shortening végétal, *a priori* une mauvaise graisse puisque recelant habituellement des acides gras saturés trans et/ou hydrogénés. Dans la garniture, à noter que le glucose-fructose arrive avant la purée de fruits!

L'information nutritionnelle confirme que ce produit est effectivement plutôt faible en gras (3 g), mais le type d'acide gras n'est pas spécifié, et l'on peut présumer qu'il s'agit vraisemblablement de mauvaises graisses puisque issues de shortening. Cette étiquette révèle aussi ce que nous redoutions depuis le début, soit un contenu élevé en sucres (14 g) et en amidon (11 g) provenant principalement de la farine et du sucre, donc à index glycémique élevé. Par ailleurs, le contenu en fibres (1 g) est beaucoup plus faible que ce à quoi on s'attendrait d'un produit s'affichant comme fabriqué à partir de grains entiers, et il ne viendra sûrement pas contrebalancer le contenu élevé en sucres et en amidon.

Des chercheurs australiens (Foster-Powell et coll., *Am. J. Clin. Nutr.* 2002; 76 : 5-56) ont d'ailleurs testé ce produit dans leur pays (le produit peut différer quelque peu d'un pays à l'autre) et lui ont trouvé un index glycémique de 66, venant tout à fait confirmer notre impression à la lecture de l'étiquette.

Ce produit n'est pas unique en son genre. Nous aurions pu en choisir des dizaines, voire des centaines d'autres similaires. Il démontre cependant bien, et de façon presque caricaturale, combien il faut être vigilant. Certains objecteront qu'une telle analyse peut sembler exhaustive, mais il n'est pas nécessaire de la répéter chaque fois, mais simplement au moment de choisir un nouveau produit. Espérons qu'avec le temps et la demande croissante des consommateurs, les fabricants offriront enfin de vrais produits santé et non des simulacres.

Chapitre VII

Comment faire son marché

Les principes de base

DU TEMPS

Vous n'avez pas de temps à perdre avec les achats à l'épicerie? Vous devez revoir votre attitude, car tout se passe là en premier lieu. Vous devrez vous habituer à faire un choix éclairé de tout ce qui composera votre panier d'épicerie. Au début, vous devrez y consacrer plus de temps. Si vous êtes du genre à ne pas savoir dire non aux nombreuses demandes de vos enfants, évitez de les y amener.

Faire les bons choix alimentaires pour eux, pour leur santé comme pour vous est encore plus important que faire des choix vestimentaires auxquels nous sommes prêts à consacrer le temps qu'il faut. Chaque minute que vous investirez à bien choisir un aliment vous rapportera des dividendes pour le reste de vos jours, chaque mauvaise habitude que vous changez augmentera votre capital santé!

Coté pratique, une loupe vous sera peut-être utile au début, car certaines étiquettes sont écrites en très petits caractères.

DES REPÈRES

Au fil des semaines, vous développerez des connaissances sur les produits proposés dans les épiceries et vous irez droit vers ceux que vous savez convenables. Cela, il va sans dire, facilitera cette tâche du choix qui reste cruciale.

DE L'ARGENT

«Manger santé, ça coûte cher!» C'est souvent le commentaire que l'on entend. Quelques exemples pourront vous convaincre que tel n'est pas nécessairement le cas. Certaines valeurs sûres sont très peu dispendieuses, comme les lentilles, les légumineuses, l'orge. Il est certain que vous aurez à mettre dans la balance la valeur nutritive de vos achats.

Les arachides ou les graines de soya ou de tournesol coûtent peut-être plus cher que les croustilles, mais elles apportent une satiété et une valeur nutritive bien supérieure. Investissez dans des fruits frais de saison plutôt que dans des friandises sucrées qui ne valent souvent pas le papier dans lequel elles sont présentées! D'autre part, les muffins, les vinaigrettes que vous concocterez vous coûteront souvent moins cher que ceux du commerce.

Se souvenir aussi que notre recherche a clairement démontré qu'on mange globalement moins sans se priver avec de meilleurs choix alimentaires.

À ÉVITER		À PRIVILÉGIER	
PRODUITS	**PRIX ±/ PORTION**	**PRODUITS**	**PRIX ±/ PORTION**
Croustilles (130 g) . . . . . 0,80 $		Pomme . . . . 0,45 $	
Bretzels (120 g) . . . . 1,50 $		Graines de	
Bonbons (100 g) . . . . . . 1,00 $		tournesol (100 g) . . . . 1,00 $	
Maïs à éclater (135 g) . . 1,00 $		Yogourt sans sucre . . . . . 0,45 $	
Petits gâteaux individuels 0,40 $		Fromage Ficello	
Barre muffin . . . . 0,40 $		(42 g ou 2) . . . . 0,64 $	
Cracker Jack (75 g) . . . . 1,30 $		Fromage Babybel (2) . . . . 1,20 $	
Beignes glacés . . . . 0,40 $		Minigo (60 g) . . . . 0,33 $	
		Fruitsation sans sucre	
		(113 g) . . . . 0,40 $	
		Amandes (23 g) . . . . 0,50 $	
Total : 6,80 $		**Total : 4,97 $**	

Ces prix sont tirés de circulaires de publicité des grandes chaînes de produits alimentaires et sont susceptibles de fluctuer dans le temps. Ce n'est qu'un exercice pour vous permettre de prendre conscience que changer un produit pour un autre d'une meilleure valeur nutritive ne coûte pas nécessairement plus cher.

ATTENTION AUX PRODUITS TRANSFORMÉS OU ASSAISONNÉS

Plusieurs produits sont offerts avec un petit quelque chose en plus, et trop souvent, c'est du sucre. Prenons, par exemple, les légumes en conserve : les tomates aux fines herbes contiennent plus de sucre que d'herbes, alors qu'il est si facile de les assaisonner soi-même.

Même chose pour les sardines à la sauce tomate ou à la sauce moutarde, dans lesquelles on a cru bon de rajouter de l'amidon ou de la fécule de maïs. On n'a pas besoin de ça! Ce ne sont là que deux exemples, mais la liste de ces conserves «assaisonnées» serait très longue.

Tenez-vous-en le plus possible aux produits de base. Il sera toujours temps de les assaisonner à votre convenance !

Les marques

La question revient constamment : « Quelle marque de tel produit employez-vous ? » Pour certains produits, il est facile de répondre, alors que, pour d'autres, l'exercice est beaucoup plus laborieux. Une marque peut proposer à la fois un produit acceptable et un moins bon. Lorsqu'il sera préférable de ne pas nommer de marques, nous nous abstiendrons, et nous le ferons volontiers chaque fois où cela s'y prêtera.

1. LES PRODUITS CÉRÉALIERS

Les farines entières

Préférer les farines moulues sur pierre. Le grain n'est pas chauffé, et le germe de la céréale qui contient les éléments nutritifs est préservé. Les farines entières de blé, de sarrasin, de soya, de seigle sont des produits de première classe ! L'achat de son de blé ou de son d'avoine est 100 % recommandé.

Marques : Milanaise et autres.

Le pain
- Le pain intégral : recherchez celui-ci, mais assurez-vous qu'il est exempt de sucre.
- Le pain 100 % de blé entier : le choix n'est pas mauvais. Il vient en deuxième position derrière le pain intégral, si ce dernier n'est pas offert près de chez vous.

- Le pain de seigle à 100 % et le pain pumpernickel constituent également un bon choix.
- Pour ce qui est du pain aromatisé aux olives, au fromage, aux raisins, etc., faites votre propre enquête (questionner, lire les étiquettes), car la variété est infinie.

Marques : Montignac ; Riesal à la farine intégrale ; Intégral de Lac-à-la-Tortue ; Pain à l'ancienne 100 % blé entier, sans gras sans sucre, de Saint-Jérôme ; Saint-Méthode, 100 % blé entier, sans gras sans sucre, etc. Ce marché est en pleine croissance, et de nouvelles marques voient le jour régulièrement.

Les pâtes

- Pâtes de blé entier : on double systématiquement la quantité de fibres par portion par rapport aux pâtes ordinaires. Notre choix se porte vers les pâtes longues tels les spaghettis et les spaghettinis. Ces dernières cuites *al dente* ont un IG moindre que les autres types de pâtes de formes variées comme les fusillis, les macaronis, etc. La diversité se trouvera donc dans la sauce plutôt que dans la forme !
- Vermicelles de riz, de soya : vous pouvez en consommer de temps à autre.
- Ramen, Udon : à l'occasion. Les pâtes à base de farine de sarrasin ou de toute autre farine entière peuvent, à l'occasion, faire partie de nos choix. Cependant, il faut se rappeler que l'IG des pâtes est très variable et dépend de la cuisson et du procédé de fabrication.

Les céréales du petit-déjeuner

- Marques ayant notre préférence : Fibre I, Mueslix sans sucre ajouté, Shredded Wheat & Bran.

- À défaut de trouver mieux, All-Bran est aussi acceptable, les fibres compensant le sucre ajouté.

- Les flocons de gruau d'avoine ne sont pas à consommer surcuits (voir chapitre VI, gélatinisation, p. 48) mais pourront être utiles à l'état brut pour la fabrication de desserts croustillants, de muffins et même de panure.

Les muffins

Vous devrez les préparer vous-même (voir recette p. 90).

Les croissants

Ils contiennent par définition du gras et des glucides. Nous les évitons, sauf en de très rares occasions.

Les beignes

Même problème que pour les croissants. Nous les évitons totalement, parce que l'écart n'en vaut pas la chandelle !

Les bagels

Il en existe à la farine intégrale. Lisez quand même l'étiquette pour vous assurer qu'il s'agit de farine intégrale à 100 % et qu'ils ne contiennent pas de sucre.

Les pitas

Un pain pita de blé entier est acceptable à l'occasion mais ne devrait pas faire partie d'une alimentation quotidienne.

Les tortillas

Par définition, les tortillas sont faites de farine de maïs. Il en existe des « déformées » à la farine de blé entier. Ces pains pourront dépanner à l'occasion.

Les danoises

Il faut, de toute évidence, les éviter.

Les biscuits, craquelins et croustipains

Nous en consommons occasionnellement. Quelques marques offrent des produits tout à fait acceptables. L'IG demeure limite, et ces produits ne peuvent malheureusement être consommés en même temps que des corps gras comme le beurre, la margarine ou le fromage.

Marques : Wasa, Ryvita, Kavli.

Le riz

L'index glycémique des riz est élevé (70 à 85) ou limite (autour de 50). Ils ne font donc pas partie de l'alimentation quotidienne et sont à éviter lors d'un repas gras (viande, fromage, etc.). Privilégiez le riz brun ou le riz sauvage, qui contiennent 3 à 4 fois plus de fibres que le riz blanc, ou encore le riz basmati à cause de son contenu élevé en amylose. Nous en mangeons à l'occasion en accompagnement d'un poisson, dans un riz aux légumes ou encore en sushis.

Le quinoa

Cette céréale est un peu plus chère que le riz, mais son index glycémique est très bas. On ne la trouve malheureusement que dans les boutiques spécialisées.

La semoule

La semoule de blé entier est en théorie acceptable, cependant nous n'en faisons usage que très rarement...

Les crêpes

Elles doivent être faites avec des farines entières : blé, seigle, sarrasin, etc. Ne les consommez pas avec du sirop ! Elles ne font pas partie de notre quotidien.

2. LES PRODUITS LAITIERS

Le lait

Lait écrémé : qu'il soit en poudre ou liquide, nous en consommons quotidiennement.

Lait écrémé évaporé : il est bien pratique pour les recettes.

Lait au chocolat : voici la liste des ingrédients de la grande majorité des laits au chocolat : lait partiellement écrémé, substance laitière, **sucre**, cacao, etc. Le sucre étant devant le cacao, on peut donc penser qu'il s'agit de « lait sucré au cacao » ! Nous n'en avons pas trouvé sans sucre.

Marques : aucune n'est recommandable.

La crème

La crème à 15 % peut remplacer la plupart du temps la crème à 35 %. La crème champêtre à 15 % « plus épaisse » est celle que nous employons le plus souvent.

Marque : Natrel.

Les fromages

En quantité raisonnable, les fromages sont tous permis, et c'est là un des grands bonheurs de cette approche. Mais souvenez-vous de ne pas les manger avec du pain ou des craquelins.

Fromage parmesan : râpé, il est utile comme condiment sur les salades et les pâtes.

Fromage à la crème Philadelphia léger : il est acceptable en couche mince pour tartiner le pain le matin.

Fromage fondu de type Ficello : ce type de fromage est acceptable dans la boîte à lunch de votre enfant ou en collation.

Fromage cottage faible en gras (1 % ou moins) : c'est un aliment passe-partout extraordinaire, au très grand pouvoir rassasiant. On peut s'en servir en toute circonstance, car il est principalement constitué de protéines et il a un index glycémique bas. On peut l'utiliser de l'entrée au dessert.

La crème sure

L'amidon de maïs fait très souvent partie des ingrédients. La plupart des marques ne contiennent pas de sucre ajouté. Nous nous en méfions !

Les yogourts

La très grande majorité des yogourts dits aux fruits sont en fait des yogourts au sucre aromatisés aux fruits et donc, carrément à éviter. En revanche, on peut consommer à volonté le yogourt nature mélangé à des fruits frais (voir le chapitre précédent).

Marques : Parmi celles qui sont acceptables : Silhouette de Danone, Six Grains de Liberty, Silhouette avec six céréales de Danone, Source.

Boissons au yogourt : évitez-les, car leur composition se résume à des substances laitières, de l'eau et, en troisième position, du sucre, suivi un peu plus loin par de l'amidon et à l'occasion par du glucose. Donc, il n'y a rien d'intéressant là-dedans.

La crème glacée

Un petit péché mignon... réfléchi et mesuré, si l'on peut dire ! Nous recherchons les crèmes glacées contenant le moins de gras saturé et de sucre. Un petit truc : les marques maison ou moins chères remplacent une partie du gras par des alginates pour diminuer le coût de fabrication et, en même temps, conserver le caractère onctueux. Leur contenu en gras est donc plus faible que les marques plus chères, et leur index glycémique plus bas à cause du caractère fibreux des alginates. Recherchez sur l'étiquette la présence d'ingrédients tels que la gomme de guar, la carraghénine, la gomme de cellulose.

Nous en consommons en petite quantité en parts égales avec du yogourt sans sucre parsemé de céréales riches en fibres comme Fibre I. Nous aimons beaucoup ce dessert, et il ne semble pas influer sur notre poids, surtout si nous le prenons plus de deux heures après le repas. Néanmoins, nous nous permettons cet écart à l'occasion. Ne l'utilisez pas en phase d'amaigrissement et voyez les effets que cela peut entraîner dans votre cas.

3. LES FRUITS

Frais

Nous gardons toujours un panier de fruits frais sur le comptoir de la cuisine. Pour ce qui est de la banane et les quelques autres fruits à IG élevés, nous les réservons pour les occasions d'activités physiques.

Congelés

Ils constituent un excellent choix à condition d'être sans sucre. Lisez attentivement l'étiquette!

Séchés

Assurez-vous qu'il n'y a pas de sucre ajouté, car c'est fréquent. Ils demeurent un choix acceptable lors d'exercices physiques.

En conserve ou en pots

Ne les consommez jamais dans du sirop. Recherchez plutôt des fruits conservés dans leur propre jus ou sans sucre ajouté.

Confitures

Dégustez des confitures sans sucre ajouté ou aromatisées avec du jus de fruits.

Marques : Natur, Saint-Dalfour, E. D. Smith, Smucker's.

4. LES LÉGUMES

Nous vous conseillons de vous procurer une marguerite pour cuire vos légumes. Ils seront plus croquants et beaucoup plus savoureux, et ils conserveront leur pleine valeur nutritive.

Frais

Les légumes frais restent le meilleur choix. On évite bien entendu la pomme de terre, le maïs et la betterave à cause de leur index glycémique élevé.

Congelés

La plupart du temps, ils sont exempts de sucre, mais il vaut toujours mieux s'en assurer. Ils sont un excellent choix. Faites attention aux mélanges. Vous pouvez parfois dénicher quelques bonnes affaires qui dépanneront les jours où vous n'aurez pas beaucoup de temps à allouer à la préparation de légumes frais.

Marques : en voici quelques-unes : Arctic Gardens (plusieurs variétés), Sans nom (légumes d'hiver/brocoli et chou-fleur), John O's Family Tradition (mélange du Prince-Édouard/haricots jaunes, haricots verts et petites carottes entières*).

Séchés

Les mélanges de légumes déshydratés pour assaisonner les riz ou autres mets contiennent avant tout des pommes de terre. Il faut donc s'en passer.

En conserve

N'oubliez pas de lire la liste des ingrédients et évitez les mentions « assaisonnés ».

---

*   Mettre un bémol sur ce mélange qui contient des carottes. Dans ce cas-ci, elles sont combinées à des haricots, et leur texture est croquante après la cuisson, ce qui en fait néanmoins un choix somme toute acceptable.

5. LES LÉGUMINEUSES

Sèches

Les légumineuses sèches constituent notre premier choix.

En conserve

Les légumineuses en conserve demeurent une heureuse solution. Évidemment, nous parlons ici de légumineuses sans gras ni sucre ajouté. Il faut donc mettre les fèves au lard aux oubliettes! Faites attention aux mélanges de plusieurs légumineuses, car ils peuvent contenir, entre autres, du sucre ou du maïs. Il est préférable d'en acheter plusieurs variétés et de les mélanger soi-même.

Congelées

Elles n'abondent pas sur le marché. Il peut, par ailleurs, être intéressant d'en congeler à chaque fois que vous en faites cuire.

6. LES VIANDES, VOLAILLES, POISSONS ET ŒUFS

On élimine d'emblée tous les poissons et les volailles panés.

Les viandes

Que ce soit du bœuf, du porc, du cheval, de l'agneau, du lapin ou toute autre viande, il n'existe qu'une règle pour nous : enlever le gras visible.

Les volailles

Variez les espèces (canard, dinde, pintade) et ne vous en tenez pas au poulet. Il faut éviter de manger la peau.

Les viandes froides

Elles contiennent souvent du sucre ou du glucose. Nous sommes perplexes devant un tel constat et nous privilégions celles qui en renferment le moins possible ou pas du tout. Étant moins grasse, la dinde a notre préférence.

Les saucisses et charcuteries

Elles contiennent trop souvent de l'amidon, de la farine raffinée et même du sucre! Vérifiez-les soigneusement avant d'acheter.

Les abats

Les abats sont glucido-lipidiques. Nous en consommons donc très peu et nous les préparons entourés de beaucoup de légumes.

Les poissons

L'effet protecteur du poisson est démontré sur le plan cardiovasculaire et il est directement relié à la quantité consommée. Il est suggéré d'en manger au moins deux fois par semaine, et de varier les sortes et les recettes.

Conserves de poissons : thon, saumon, sardines, palourdes, moules, etc. Assurez-vous que le poisson ne baigne pas dans une huile forte en gras saturé (palme, coton, etc.).

Surimi (imitation de crabe, etc.) : les mélanges à base de poissons sont composés de farines, d'amidon et de glucose et sont, selon nous, peu recommandables.

Les œufs

Favorisez si possible ceux contenant des oméga 3.

Les produits commerciaux d'œufs entiers ou de blancs d'œufs sous forme liquide semblent très acceptables.

7. LES GRAISSES

Demeurez à l'affût des mots suivants : hydrogéné, gras saturés, acide gras trans, huile de palme, saindoux, shortening, huile de noix de coco, huile tropicale, suif. On évite autant que possible les produits où ces termes font partie de la liste des ingrédients.

Les huiles

Les mentions « huile légère » et « sans cholestérol » ont peu d'importance et, dans certains cas, il peut même s'agir d'une huile végétale non recommandable à cause de la nature de ses acides gras. Nous utilisons quotidiennement l'huile d'olive extra vierge et l'huile de canola. L'huile de noix sert à rehausser une salade ou une entrée, et remplace à l'occasion la vinaigrette. D'autres huiles peuvent aussi convenir, comme l'huile d'arachide (pour les fondues), de soya et de tournesol. Ces huiles demeurent cependant un deuxième choix. N'oubliez pas de conserver les huiles au frais et à l'abri de la chaleur.

Marque : aucune en particulier. On trouve sur le marché un mélange d'huile d'olive et de canola : un excellent choix.

Les margarines

Nous utilisons très rarement la margarine et surtout pas pour tartiner le pain et les biscottes, puisque ce serait combiner un sucre et un gras. Pour la cuisson, nous préférons l'huile d'olive. Si vous voulez quand même en utiliser, privilégiez les margarines non hydrogénées.

Marque : recherchez les mentions 100 % huile de soya ou 100 % huile de canola.

Note : les marques Becel et Olivina contiennent ± 7 % d'huile de palme, ce qui n'est pas optimal.

Le beurre

Nous le conservons au congélateur… C'est pour vous dire que nous n'en abusons pas. Une noisette de temps en temps sur des légumes et surtout pas sur du pain ! Il sert surtout dans des recettes mais jamais pour la cuisson. Les fruits de mer et le beurre à l'ail, c'est excellent au goût, mais nous n'en mangeons pas tous les jours !

8. LES NOIX ET LES GRAINES

Choisissez-les nature, car la mention « assaisonné » est la plupart du temps synonyme de sucré. Nous faisons bonne consommation d'une grande variété de noix et de graines : amandes, avelines, noix de Grenoble, de macadamia et de cajou, arachides, graines de soya, de sésame, de tournesol, etc.

Note : utilisez un moulin à café ou un mélangeur pour les moudre et les incorporer dans vos recettes.

Le beurre d'arachide

Choisissez-le sans sucre évidemment. Sur du pain intégral en couche mince, il pourra à la rigueur être acceptable pour celui qui n'a plus de poids à perdre. Vérifiez son effet sur votre poids : la balance vous le dira !

Le beurre d'amande

Ce sont les mêmes recommandations que celles pour le beurre d'arachide.

9. LES DESSERTS PRÉPARÉS

Vous pouvez consommer les produits laitiers mentionnés antérieurement comme le yogourt, la crème glacée aux alginates, les jellos sans sucre et quelques exceptionnels biscuits ou galettes sans sucre.

Marques : Silhouette de Danone.

10. LES BOISSONS

Voici notre choix : thé, tisane, café, eau minérale, boisson gazeuse sans sucre, jus de fruits frais, lait écrémé.

11. DIVERS

Les épices et fines herbes

Ce qui s'annonce comme étant «herbes et citron» peut contenir en fait beaucoup plus d'ingrédients. Regardez-y à deux fois. Tous les mélanges d'épices à salade, pour la viande ou le poisson, etc., renferment trop souvent des sucres et de l'amidon. On préférera les herbes fraîches. On trouve dans les épiceries des pots d'herbes à l'huile. Ils sont pratiques et permettent d'avoir sous la main en tout temps de l'année des arômes tels que la menthe et l'aneth.

Les assaisonnements ou condiments

Voici une liste des bons : vinaigres divers (non assaisonnés), moutarde de Dijon, pâte de curry rouge Blue Dragon, herbes salées Jardin, sauce soya, sauce tamari, sauce Worcestershire, Tabasco, olives, fromage parmesan.

Voici la liste des moins bons : ketchup, sauce Chili, moutarde assaisonnée, relish.

Le tofu

Le tofu ferme et mou est un excellent achat et est toujours présent dans notre réfrigérateur. Les produits à base de soya imitant les viandes (burger ou saucisses) contiennent souvent des huiles hydrogénées, des farines raffinées et du glucose ou du sucre. Évaluez bien le produit en repérant les indésirables. Contrairement aux apparences, ces produits ne sont malheureusement pas toujours synonymes de santé…

12. LES METS PRÉPARÉS

Les repas congelés

Rien de mieux à dire : nous avons dû lire beaucoup d'étiquettes et n'avons rien déniché dans les grandes surfaces, mais il y en a probablement dans les boutiques spécialisées (Commensal, magasin d'aliments naturels, par exemple). Consultez toutefois avec attention les étiquettes, car, malgré leur apparence santé, les produits offerts par ces commerces contiennent souvent du sucre, de la farine blanche ou des amidons.

Les soupes préparées

À part quelques très rares exceptions, les crèmes, soupes, potages en conserve ou déshydratés en enveloppe contiennent de l'amidon et souvent du glucose ou de la pomme de terre. Vous n'en trouverez pas dans nos placards de cuisine.

Les petits pots pour bébé

Ils doivent être aussi choisis avec circonspection. Certains contiennent en effet sucre et amidon en quantités non négligeables. Ainsi, le Tutti Frutti (c'est-à-dire tout fruit) de Heinz pourrait donner l'impression qu'il contient uniquement des fruits, alors que la réalité est tout autre (ingrédients par ordre d'importance : eau, sucre, amidon de maïs modifié, purée d'abricots, jus d'orange, d'ananas concentré, acide citrique) ! Il faudra donc encore une fois se fier à la lecture des étiquettes pour séparer l'ivraie du bon grain.

Chapitre VIII

Le petit-déjeuner

Les principes de base

L e petit-déjeuner est un repas très important, car il donne le ton à toute la journée. Il sera en général à base de bon pain ou de bonnes céréales avec addition de fruits. Grâce à sa composition, il préviendra les « creux » au cours de la matinée. À l'occasion, il pourra être à base d'œufs et de viande, mais soyez alors prudent et évitez les mauvaises associations. Tel qu'énoncé précédemment, les jus de fruits sont à utiliser avec parcimonie ; il est toujours préférable de consommer des fruits entiers. Les deux sont à éviter lors de repas lipidiques, soit à base d'œufs et/ou de viande.

La méthode Montignac proposait à l'origine de manger les fruits une demi-heure avant le repas ou deux heures après. Nous ne nous préoccupons plus de ce principe. Cette recommandation s'adressait surtout aux personnes digérant moins bien les fruits, mais, dans ce cas-ci, le fait de consommer un fruit avec les céréales n'a aucune incidence sur la perte de poids ou le métabolisme. Même chose pour les fruits à index glycémique acceptable qui peuvent être consommés beaucoup plus librement.

MENU 1

Céréales sans sucre, lait écrémé, fruit frais

Comme nous l'avons mentionné, les céréales sans sucre sont parfois difficiles à trouver. Voici celles que nous privilégions :

— Muesli Jordans (sans sucre ni sel ajouté) ;
— Muesli Dorset Cereals (40 % fruits et noix, sans sucre ni sel ajouté) ;
— Muesli Choix du président (30 % de fruits, noix et graines) ;
— Fibre I ;
— Shredded Wheat & Bran (Attention : seuls les Bran et non les autres Shredded Wheat) ;
— All-Bran («buds» ou original).

Cette liste n'est pas exclusive, et vous saurez probablement en découvrir d'autres qui vous conviendront. Nous aimons bien mélanger des céréales à haute teneur en fibres (Fibre I ou All-Bran) avec une ou plusieurs autres. Nous nous assurons ainsi d'un apport important en fibres, tout en obtenant un goût plus intéressant. L'ajout de fibres facilitera le transit intestinal et préviendra la constipation ou l'irritation du colon. Il contribuera aussi à diminuer l'index glycémique total du repas, ce qui sera d'autant plus bénéfique. En mélangeant plusieurs sortes dans une grande boîte, vous aurez rapidement sous la main un aliment varié et complet. En outre, vous pourrez doser à votre guise et obtenir votre mélange préféré.

Note : certaines de ces céréales contiennent du sucre en petite quantité, mais leur teneur élevée en fibres vient largement compenser.

À ce mélange, nous ajoutons du lait écrémé et des fruits frais. Les petits fruits (fraises, bleuets, framboises, mûres) sont nos préférés, mais nous alternons aussi avec des pommes, des poires et des pêches. Nous évitons l'ananas ainsi que la banane qui ont un index glycémique trop élevé.

MENU 2

Pain 100 % grains entiers ou intégral grillé avec garnitures

Les pains que nous utilisons le plus souvent sont :
– l'intégral fabriqué au Lac-à-la-Tortue ;
– le Riesal intégral ;
– le Montignac (boulangerie Première Moisson) ;
– les pains de grains entiers (ex. La Miche) fabriqués par les micro-boulangeries (interrogez le boulanger pour bien connaître le contenu) ;
– le Saint-Méthode (sans gras ni sucre ajouté) ;
– le Pain à l'ancienne 100 % blé entier (sans sucre sans gras) de Saint-Jérôme.

Se souvenir que le pain grillé a un index glycémique plus bas que le pain frais. S'il s'agit d'un bon pain, le griller n'est pas une obligation.

Les garnitures que nous utilisons sont :
– tartinade aux fruits, marmelade ou compote sans sucre ajouté (goût plus sucré donné par l'ajout de jus de fruits ou de fructose). Les marques les plus courantes sont : Saint-Dalfour, Natur, E. D. Smith. Lisez l'étiquette avant d'acheter un produit en vous

souvenant que certains fabricants peuvent avoir deux types de produits, avec sucre et sans sucre;
- fromage cottage allégé (1 % ou sans gras). Il s'agit d'un véritable aliment passe-partout avec une haute teneur en protéines et une excellente valeur rassasiante. Rajouté sur du pain grillé déjà revêtu de tartinade aux fruits, c'est vraiment délicieux et très satisfaisant;
- fromage sans gras (type Philadelphia léger à tartiner). Une mince couche sur le pain avant de le recouvrir de tartinade ou de fruits frais;
- yogourt faible en gras, nature ou sans sucre : une autre façon de tartiner le pain grillé;
- morceaux de fruits frais (pomme, pêche, poire en tranches fines ou des petits fruits tels bleuets, fraises, framboises). Ajoutez-les à votre garniture préférée;
- beurre d'arachide nature sans sucre en couche mince : il s'agit d'un véritable écart, car il est riche en gras, donc non compatible avec le pain, un aliment essentiellement glucidique. Néanmoins, il s'agit de bonnes graisses, et ceux qui en veulent absolument peuvent en manger à l'occasion, surtout si son poids est stabilisé et qu'on est en phase de maintien.

En principe, le beurre et la margarine sont à bannir. Ces corps gras n'ont aucune valeur nutritive particulière. À la rigueur, vous pouvez utiliser une margarine légère à base d'huile de canola ou d'olive non hydrogénée dans les mêmes conditions que celles énoncées pour le beurre d'arachide.

MENU 3

Fruits frais divers, yogourt nature allégé

Un beau mélange de fruits frais à index glycémique intermédiaire ou bas (colonne B ou C dans l'annexe I) sur lequel on étend du yogourt nature allégé (1 % ou sans gras) et quelques grains de Fibre I ou de All-Bran, et le tour est joué.

MENU 4

Œufs, omelettes, viandes, fromage

Ce petit-déjeuner est de type lipidique, c'est-à-dire qui contient beaucoup de gras mais pas nécessairement les bons. Donc, avec ce genre de repas, pas de pain, de céréales et *a fortiori* pas de pommes de terres rissolées ou sous quelque autre forme que ce soit. Par ailleurs, on peut garnir son assiette de tomates, de laitue, d'oignons cuits, d'épinards, de poivrons, de champignons ou d'autres légumes à index glycémique bas (colonne C dans l'annexe I). Le fromage cottage allégé constitue aussi un bon choix pour ce type de petit-déjeuner.

Pour notre part, nous privilégions ce genre de menu lors de séjours à l'hôtel lorsque nous sommes incapables d'obtenir du pain ou des céréales convenables. Souvent, les buffets des hôtels sont beaucoup plus attirants du point de vue lipidique. Il n'y a alors aucune raison de s'en priver ! D'autant plus que, parfois, un cuisinier vous préparera des œufs ou des omelettes à votre goût. À cause des multiples ingrédients nécessaires, la même préparation à la maison demanderait beaucoup plus de temps. Dans ces circonstances, elle vous est servie en un tournemain.

- Viandes : privilégiez les viandes maigres telles que le jambon dégraissé ou le bacon de dos. Attention, ces viandes sont souvent traitées avec du sucre ! Il en existe néanmoins des non sucrées. Donc, lisez attentivement les étiquettes avant d'acheter. Au restaurant ou à l'hôtel, il faut faire confiance à la nature…

- Œufs : ils ne sont pas aussi nuisibles qu'on le disait auparavant. Réhabilités par les instances nutritionnelles (voir *Bon poids, bon cœur avec la méthode Montignac*, p. 152), ils constituent une excellente source de protéines. On favorisera les œufs à la coque ou brouillés. On devrait utiliser une poêle antiadhésive pour les œufs frits avec un filet d'huile d'olive, et éviter le beurre et la margarine. Il pourra aussi être intéressant, mais non essentiel, de privilégier les œufs à haute teneur en oméga 3.

- Omelettes : pour le mode de cuisson et le choix des œufs, reportez-vous au paragraphe ci-dessus. On peut préparer les omelettes de multiples façons. La variété des ingrédients que l'on peut y incorporer n'a d'égale que votre imagination à les réunir : tomates, champignons, oignons, échalotes, épinards, brocoli, poivrons rouges ou verts, fromages et viandes. Consultez de nombreux livres de recettes, et vous serez inspirés pour créer votre propre chef-d'œuvre matinal. Favoriser les légumes demeure un conseil judicieux. Surtout, n'oubliez pas d'utiliser une poêle antiadhésive et un filet d'huile d'olive pour la cuisson. À titre d'exemple, voici une recette simple d'omelette.

RECETTE TYPE D'OMELETTE

2 portions

15 ml (1. c. à soupe) d'huile d'olive

Légumes au choix

3 œufs

45 ml (3 c. à soupe) de lait écrémé

15 ml (1 c. à soupe) de moutarde de Dijon

Sel et poivre

Jambon, saucisse ou bacon cuit au choix

Fromage râpé au choix

❧

Dans un poêlon antiadhésif, faire revenir dans l'huile les légumes tranchés finement 2 à 3 min ou jusqu'à ce que les légumes soient tendres mais encore croquants. Dans un petit bol, battre les œufs avec le lait, la moutarde, le sel et le poivre. Versez ce mélange sur les légumes et y répartir des morceaux de jambon, de saucisse ou de bacon cuit. Laisser cuire à feu moyen 2 à 3 min jusqu'à ce que le dessous soit doré. Parsemer l'omelette de fromage et placer au four sous le gril jusqu'à ce que l'omelette soit cuite.

MENU 5

Crêpes de farine complète (blé, sarrasin) garnies de fruits frais, de yogourt nature ou de fromage cottage.

Ça dit tout, et c'est succulent! Limitez les gras en remplaçant les œufs entiers dans la recette par des blancs d'œufs et utilisez du lait écrémé.

MENU 6

Muffins maison, sans beurre

C'est un petit-déjeuner pour matins «pressés». Vous trouverez ci-dessous la recette de nos muffins. Nous les conservons au congélateur et nous n'avons plus qu'à les dégeler au micro-ondes. Enveloppez-les individuellement et vous pourrez ainsi les utiliser selon vos besoins. À consommer en phase de maintien et avec modération seulement.

MUFFINS AU SON

12 muffins

250 ml (1 tasse) de son

80 ml (1/3 tasse) de compote de pommes sans sucre ajouté

125 ml (1/2 tasse) de lait écrémé

250 ml (1 tasse) de farine de blé entier moulue sur pierre

30 ml (2 c. à soupe) de fructose

10 ml (2 c. à thé) de poudre à pâte

2 ml (1/4 c. à thé) de bicarbonate de soude

Cannelle, au goût

Sel

125 ml (1/2 tasse) d'abricots secs en dés

1 œuf

80 ml (1/3 tasse) d'huile de canola ou d'olive

❦❦❦

Dans un bol, mélanger le son, la compote et le lait jusqu'à ce que le son ait absorbé le liquide. Tamiser ensemble la farine, le fructose, la poudre à pâte, le bicarbonate de soude, la cannelle, le sel et les abricots. Ajouter l'œuf et l'huile au mélange de son et bien battre. Verser sur les ingrédients secs et mélanger. Remplir aux deux tiers des moules à muffins huilés. Cuire à 200 °C (400 °F) environ 20 min, jusqu'à ce qu'ils soient fermes sous la pression du doigt.

QUOI BOIRE ?

Jus de fruits : tel qu'énoncé précédemment, les jus de fruits sont à utiliser avec parcimonie (un petit verre), et il est toujours préférable de consommer des fruits frais entiers. Nous n'en prenons donc qu'exceptionnellement le matin, alors que nous mangeons souvent une ou deux oranges. À l'achat d'un jus de fruits, il est important de s'assurer qu'il est 100 % pur, sans sucre ajouté ; c'est un plus si la pulpe est conservée. Oasis, Tropicana et Minute Maid sont des marques représentatives de jus 100 % pur, sans sucre ajouté. Lisez tout de même l'étiquette pour être sûr !

Café : en principe, buvez-en aussi en quantité limitée, car il stimule l'insuline et possiblement l'appétit. Par ailleurs, prise en quantité raisonnable, cette boisson est relativement sécuritaire du point de vue santé et n'a pas autant d'effets maléfiques qu'on lui a déjà prêtés. Pour ceux qui, comme nous, aiment souvent prendre plus d'une tasse le matin, il peut être intéressant de préparer du moitié-moitié, soit moitié café décaféiné et moitié café ordinaire. Il existe maintenant d'excellentes variétés de décaféinés qui n'altéreront en rien le goût de votre boisson préférée et pourront même la bonifier. Il va de soi que la proportion de café ordinaire et de décaféiné peut varier au gré de votre fantaisie.

Lait : le lait entièrement écrémé devrait être la règle et ne pas faire l'objet de compromis. Pensez qu'un verre de lait entier (environ 250 ml) contient 5 g de graisses saturées (mauvaises), soit autant que 4 tranches de bacon ! Or, le lait entier renferme 3,25 % M.G. (matières grasses). En passant au 2 %, on ne réduit donc même pas de moitié la quantité de mauvaises graisses. Certains argueront qu'ils en sont incapables sur le plan du goût. À cela nous répondons que tout est une question d'habitude et qu'une bonne façon d'y arriver est de diminuer progressivement la teneur en gras. Passez graduellement du 3,25 % M.G. au 2 %, au 1 %, puis à l'écrémé. À la fin de l'exercice, vous trouverez que le lait entier goûte la crème, et vous risquez même de le trouver imbuvable, à moins que vous soyez de ceux qui aiment boire de la crème pure ! C'est l'expérience de tous ceux qui ont effectué ce passage. Ce changement est d'autant plus important si vous êtes un gros consommateur. En outre, le fait que le lait soit écrémé ne lui enlève pas ses autres attributs nutritionnels, comme la teneur en minéraux et en vitamines.

Un petit truc : ajoutez du lait écrémé en poudre à votre lait pour le rendre plus consistant. Ce procédé peut vous aider à diminuer progressivement la teneur en gras de votre lait. Il peut aider les plus récalcitrants !

Chocolat chaud : nous ne sommes pas des amateurs. Cependant, il doit être possible de s'en fabriquer un bon à partir de poudre de cacao à 100 %, de fructose et de lait écrémé. Les produits offerts dans les épiceries sont à éviter.

Thé noir ou vert, ou tisanes : en principe, le thé noir ou vert serait la boisson idéale parce qu'il contient des antioxydants, substances qui aideraient, entre autres, à prévenir l'athérosclérose, soit le vieillissement des artères. Qui plus est, sa concentration en caféine est moins importante. Il existe aussi une multitude de tisanes sans caféine, mais elles ne possèdent généralement pas les propriétés antioxydantes des thés noirs ou verts bien qu'on leur attribue souvent d'autres propriétés bénéfiques. Malheureusement, les études scientifiques concernant les vertus potentielles du thé et des tisanes sont encore trop peu nombreuses.

Chapitre IX

Le repas du midi

Les principes de base

Le repas du midi est habituellement pour nous un repas plutôt utilitaire destiné à nous sustenter à la mi-journée pour poursuivre les activités du jour, qu'elles soient de travail ou de loisir. Loin d'être une expérience gastronomique poussée, il ne devrait donc pas être l'occasion de se livrer à des écarts. Au contraire, c'est plutôt le moment de mettre en application, de façon rigoureuse, les principes nutritionnels qui sont désormais les nôtres.

Dans ce contexte, rappelez-vous que les écarts ne doivent être qu'occasionnels, si vous voulez réussir à améliorer votre alimentation. De plus, il faut les voir comme une concession à la gastronomie et en retirer une satisfaction particulière, un peu comme on récompense un enfant pour sa bonne conduite.

L'autre but, encore plus important, du repas du midi est de nous permettre de demeurer efficace en après-midi et de ne pas succomber aux fameux coups de pompe ou «endormitoires» qui venaient si souvent nous hanter après un repas trop sucré.

En semaine, le repas du midi est souvent pris au restaurant ou dans une cafétéria. Comme nous le verrons au chapitre XI, cela ne constitue habituellement pas un problème insurmontable et est même, dans plusieurs cas, une expérience agréable. Préparer son lunch est une solution intéressante. On peut en particulier fabriquer, en un tournemain, de délicieuses salades qui sont loin d'être monotones, car une infinité d'aliments peuvent entrer dans leur composition.

Menus et recettes rapides pour gens actifs

Vous trouverez ci-dessous quatre exemples de menus que nous qualifions d'utilitaires. Les recettes sont vite faites, et on peut manger ces plats à la maison, au restaurant ou à la cafétéria. Il va de soi que l'on peut aussi se servir des principes utilisés pour le repas du soir (voir chapitre suivant) ainsi que des recettes décrites au chapitre XIII.

MENU 1

Les salades variées

On les préparera à la maison ou au comptoir à salades d'un restaurant ou d'une cafétéria. Le choix des ingrédients étant presque infini, il est primordial de se rappeler quelques principes importants.

Les ingrédients **à éviter** sont les suivants :
– les mélanges faits avec des produits «simili» crabes et autres, car ils sont plus souvent qu'autrement trafiqués avec des farines et de l'amidon;

- les aliments enveloppés de mayonnaise à outrance;
- les salades de macaroni, de pomme de terre, de riz blanc;
- les betteraves;
- le maïs;
- le couscous (la semoule est rarement de blé entier);
- les viandes froides trop grasses, les cretons;
- les marinades sucrées : oignons, cornichons, betteraves, etc.;
- les croûtons;
- les sauces à salade préparées industriellement.

Les ingrédients **à favoriser** sont les suivants :
- les légumineuses (pois chiche, fève rouge, etc.);
- les « pickles » de type à l'aneth, les olives;
- les légumes crus (laitue, tomate, concombre, poivron rouge ou vert, brocoli, chou-fleur, carotte, avocat, oignon, échalote, céleri;
- les légumes cuits servis froids (haricot vert ou jaune);
- les légumes en conserve (cœur d'artichaut, cœur de palmier);
- l'huile (de canola ou d'olive si possible) et le vinaigre de préférence à toute autre sauce à salade;
- les sources de protéines telles que :
    - œufs durs;
    - thon émietté, sardines;
    - fromage râpé ou en morceaux;
    - morceaux de poulet ou de dinde (blanche sans la peau);
    - petites crevettes;

- fromage cottage ;
- légumineuses.

En suivant ces principes faciles, il est possible de fabriquer des salades variées et attrayantes. Nous vous donnons ci-dessous des recettes qui sortent de l'ordinaire :

- Salade tiède de foies de poulet (p. 182).
- Salade tiède de crevettes et pétoncles (p. 183).
- Salade de légumes frais (p. 184).
- Salade de légumineuses vite faite (p. 184).
- Salade de poulet (p. 185).
- Salade d'Orient (p. 186).
- Salade de riz (p. 187).
- Salade de lentilles (p. 188).

MENU 2

Les soupes repas

Généralement, il s'agit de la soupe aux légumes maison à laquelle on rajoute une protéine : dinde, poulet, orge mondé, fèves blanches, tofu en dés, etc.

Il y a aussi ces excellentes soupes que les Asiatiques font à partir de nouilles soba (sarrasin et blé), de vermicelles de riz ou de soya. Simples à faire, ces soupes glucidiques ne contiennent pas ou très peu de gras.

Exemples de soupes repas :

- Base de soupe aux légumes (p. 173).
- Soupe indochinoise aux crevettes (p. 172).

MENU 3

Les omelettes variées

Reportez-vous au chapitre précédent (p. 88) pour en savoir un peu plus à leur sujet. Elles sont tout aussi délicieuses le midi que le matin. On peut même en concevoir au gré de sa fantaisie, comme des pizzas, à la différence que les œufs remplacent la pâte.

MENU 4

La pizza pita

C'est la version améliorée de la pizza du restaurant du coin. Améliorée, car sur le plan de la valeur nutritive, vous serez gagnant. Les pains pitas de blé entier à 100 % serviront de base. La garniture peut varier selon votre humeur ou tout simplement selon le contenu de votre réfrigérateur ! Rien de trop gras cependant. Ça dépanne et assouvit ce goût de pizza qui revient de temps en temps nous hanter !

Exemple :

– Pizzata improvisata (p. 194).

Chapitre X

Le repas du soir

Les principes de base

Le repas du soir est souvent l'occasion de se retrouver en famille ou entre amis pour échanger et discuter. Il est donc plus élaboré et plus varié. D'autre part, le temps consacré à sa préparation et à sa consommation est plus long. Les principes de base sont essentiellement les mêmes que ceux du repas du midi, sauf que l'on joue davantage avec des éléments comme des entrées, des sauces et des mets pour terminer le repas.

On peut aussi prendre ce repas au restaurant. Contrairement à ce que plusieurs pensent, inutile de s'en faire. Pour peu que l'on respecte certaines règles de base faciles et peu contraignantes, il s'agit d'une expérience fort agréable au cours de laquelle on explore des nouveaux mets qu'on ne ferait pas à la maison. Nous y consacrons d'ailleurs le chapitre suivant.

L'entrée

L'entrée consiste en un plat ou un potage. On profitera de l'entrée pour augmenter sa consommation de légumes crus (carottes crues râpées, une salade mixte, des légumes à trempette, etc.). De plus, l'acidité de la vinaigrette de la salade contribuera à diminuer l'index glycémique global du repas.

Exemples :

– Salade jardinière aux légumes crus : tomate, concombre, carotte, cœur d'artichaut, cœur de palmier, asperge.
– Assiette de saumon fumé sur lit de salade assaisonnée avec câpres, poivre et un filet d'huile d'olive.
– Œufs en gelée (p. 166).
– Boulettes de bleu sur laitue (p. 167).
– Sardines sur lit de laitue avec tomates.
– Saumon deux tons (p. 168).
– Pamplemousses farcis (p. 169).

La semaine, une soupe maison s'avérera une entrée moins élaborée. En préparant une bonne chaudronnée, vous en aurez pour plusieurs jours.

Exemples :

– Base de soupe aux légumes (p. 173), qui peut se transformer en une délicieuse soupe à l'orge très nourrissante et à l'index glycémique bas (variantes p. 174).
– Potage de Danielle aux poivrons jaunes (p. 176).
– Bouillon de volailles ou de viande dégraissé pouvant servir de base à diverses préparation (p. 170) .
– Potage de lentilles aux anchois (p. 171).
– Gaspacho rapido (p. 175).

– Crème de courgettes (p. 174).
– Diverses crèmes (épinards, brocoli, poireaux, etc.). Ne pas épaissir avec de la farine mais plutôt avec de la crème champêtre 15 % ou de la crème à 35 % utilisée parcimonieusement.
– Velouté de légumes verts (p. 177).

Les crèmes ne sont évidemment pas pour tous les repas. La soupe aux légumes est toujours un bon choix. Qui plus est, on peut en faire une soupe repas le lendemain en y ajoutant une valeur protéinique (morceaux de dinde, poulet, tofu, etc.).

Le plat principal

À PARTIR DE POISSON

Les poissons sont à privilégier, car les études démontrent qu'en consommer au moins deux fois par semaine est un avantage certain pour la santé. En principe, les meilleurs sont ceux qui offrent un apport accru en oméga 3, mais, hormis le thon frais très coûteux et le saumon sauvage peu disponible, il y en a malheureusement très peu sur le marché. On devra donc chercher ailleurs ses sources d'oméga 3 (sardines, huile de canola).

Nous privilégions les poissons suivants (pour autant qu'ils proviennent d'un élevage sain : thon, saumon, truite, turbot, sole, tilapia (variété de plus en plus populaire), lotte, morue, doré. Cette liste n'est pas exclusive, et on l'adaptera selon son goût.

Question cuisson, quoi de plus facile que de faire cuire un filet de poisson dans la poêle antiadhésive avec un filet d'huile d'olive. Le secret est surtout de bien l'assaisonner et de l'entourer de jolis légumes colorés. Estragon, ciboulette, cerfeuil, aneth, cari, jus de citron ou d'orange, vin blanc, paprika, persil, etc., voilà autant de saveurs pour le relever. Des sauces au fromage peuvent être aussi fort agréables.

On pourrait, si on le voulait, servir le même poisson plusieurs jours d'affilée en l'assaisonnant différemment ou en le nappant d'une sauce. Chaque fois, le plat vous paraîtrait tout à fait transformé. Le poisson offre une infinité de possibilités.

À PARTIR DE VOLAILLE

La volaille (dinde, poulet, canard, etc.) constitue une autre excellente source de protéines. Qui plus est, contrairement aux viandes rouges et pour autant qu'on privilégie la viande blanche sans la peau, elle n'est pas dommageable sur le plan des mauvaises graisses. Dans le cas du canard, il contient des bonnes graisses en quantité intéressante, et on peut consommer la viande brune sans problème.

On peut cuire la volaille de différentes façons : au four, sauté à la poêle ou mijoté sans la peau dans un bouillon. À feu doux, on peut faire dorer les poitrines (une excellente source de viande blanche) dans une poêle antiadhésive avec un filet d'huile d'olive. Tout comme pour le poisson, les sauces et les assaisonnements rehausseront le goût de la volaille.

À PARTIR DE FRUITS DE MER

Parce qu'ils ont un contenu élevé en cholestérol, les fruits de mer (homard, crabe, crevette, pétoncle) ont longtemps eu mauvaise presse et étaient plutôt considérés comme indésirables du point de vue cardiovasculaire.

Comme pour les œufs, on a maintenant tendance à les réhabiliter, car le cholestérol contenu dans ces aliments a finalement très peu d'influence sur le taux sanguin de cholestérol. Une consommation occasionnelle de fruits de mer n'a donc rien de répréhensible, et on ne devrait sûrement pas s'en culpabiliser.

L'important est surtout d'éviter les fritures et les panures. Nous conseillons la cuisson au court-bouillon pour le homard et le crabe et à la poêle avec un filet d'huile d'olive pour les crevettes. Dans ce contexte, le beurre à l'ail est très acceptable, et la mayonnaise maison est toujours préférable à la mayonnaise commerciale.

À PARTIR DE VIANDE

Dans l'ensemble, les viandes d'animaux quadrupèdes sont source de mauvaises graisses. Il faut donc les consommer de façon modérée et les plus maigres possible. Tout gras de viande visible doit être systématiquement enlevé. Les sources les plus intéressantes de viandes animales maigres sont les suivantes :

- Filets de porc (eh oui !). Évitez les fameuses côtes levées, qui sont grasses et préparées avec des sauces sucrées.
- Tranches d'agneau.
- Parties plus maigres du bœuf : ronde, dos, filet. Évitez le plus possible les *T-Bone* et les entrecôtes et choisissez toujours le bœuf haché le plus maigre.

Pour varier, les viandes de cheval, de bison, de sanglier, d'autruche et les autres sont d'excellents choix.

Idéalement, on ne devrait pas consommer de la viande plus de deux fois par semaine. Le cas échéant, on devrait la remplacer par de la volaille ou du poisson.

À PARTIR DE PÂTES

Les pâtes ont toutes un index glycémique relativement élevé. On doit les consommer avec prudence, certaines personnes étant plus sensibles que d'autres à leur effet. Si, dans votre cas, la pesée du lendemain montre de façon constante une augmentation de poids chaque fois que vous en avez mangées, la prudence s'impose. Dans notre cas, nous en consommons environ une fois par semaine comme mets principal.

La variété de pâtes, le type de cuisson et la sauce utilisée ont aussi une grande importance. Les pâtes ayant le meilleur index glycémique sont les spaghettis et les spaghettinis au blé dur ou au blé entier. La durée de cuisson a aussi son importance ; une durée plus courte *al dente* donne un index glycémique plus bas.

Le temps de cuisson mentionné dans les recettes ou sur les emballages est souvent trop long. On aura donc avantage à les goûter régulièrement durant la cuisson, un goût légèrement croquant étant l'idéal recherché.

En aucun cas, la sauce ne devrait être à la viande. On arrive cependant à faire de délicieuses sauces végétariennes ou aux fruits de mer (p. 151) qui ont finalement un goût beaucoup plus raffiné.

STYLE VÉGÉTARIEN

Nous favorisons ce type de repas environ deux fois par semaine. Il s'agit d'une nourriture saine et légère. Ces repas vite faits (pourvu qu'ils aient été planifiés) et faciles à digérer sont idéaux surtout avant une sortie ou une activité sportive en soirée. Parmi ceux que nous préparons le plus souvent, notons :

– Tofu aux légumes : servi en petits cubes avec des légumes sautés ou en tranches assaisonnées et poêlées, le tout accompagné d'une salade ou de tout autre légume.

– Casserole de tofu minute (p. 192).
– Riz sauvage aux légumes.
– Salade de lentilles (p. 188) et/ou de légumineuses (p. 184).
– Terrine de lentilles (p. 189).
– Chili sin carne (p. 190).

À PARTIR D'ŒUFS

Le sujet des œufs a largement été traité dans les chapitres sur les repas du matin et du midi. Chez nous, les œufs sont rarement au menu le soir. Néanmoins, l'omelette style pizza aux légumes (p. 87) est un plat passe-partout intéressant. Les œufs entrent aussi dans la composition de nombreux desserts. Nous les mangerons le plus souvent sous cette forme le soir.

Les accompagnements

Traditionnellement, nos repas nord-américains sont servis avec deux types d'accompagnement :
– Un légume de couleur qui peut être jaune (carotte), vert (haricot) ou autres.
– Un accompagnement «blanc» de type féculent, habituellement une pomme de terre mais parfois du riz ou des pâtes.

Pour les légumes de couleur, il n'y a aucun problème, puisque la plupart ont un index glycémique bas. On peut donc s'en régaler à volonté. Là où le bât blesse, c'est sur le plan de l'accompagnement «blanc». En effectuant le virage alimentaire que nous préconisons, c'est ce changement qui modifiera le plus vos habitudes. Dans ce contexte, sachez que la pomme de terre est de loin le légume le plus consommé en Amérique. Nous avons vraiment l'impression qu'elle fait partie de notre inconscient collectif!

C'est d'ailleurs ce féculent qui manque le plus aux gens qui entreprennent ce « régime ». En effet, ils ont l'impression que la pomme de terre bourre et qu'elle a une valeur rassasiante particulière. Cela n'est bien sûr qu'un leurre. En effet, son index glycémique élevé entraînera une ré-apparition rapide de l'appétit et, au bout du compte, la consommation calorique sera plus importante (voir la recherche de l'Université Laval, *Bon poids bon cœur avec la méthode Montignac,* p. 105). Il faut dire aussi que, comme pour tout virage important concernant les habitudes de vie (passage au lait écrémé, arrêt du tabagisme, etc.), il y a toujours une période de transition qui peut s'avérer plus ou moins difficile selon les individus.

Comment « dépatatiser » son assiette

Voici des suggestions pratiques d'aliments de remplacement et quelques façons de les mettre en valeur. Une mise en garde s'impose concernant la cuisson : les aliments doivent être toujours croquants.

Quinoa : qu'est-ce que le quinoa ? Peu de gens le connaissent. Le quinoa est une plante d'Amérique du Sud qui donne d'abondantes petites graines ayant l'apparence de graines de sésame. À saveur de noisette, il croque sous la dent comme du caviar ! Très peu d'épiceries nous l'offrent actuellement. On le trouve dans les magasins de produits naturels. Plus cher que la pomme de terre, mais il gonfle… Il y a beaucoup « d'inflation » à la cuisson !

Cuisson : premièrement, bien le laver à l'eau courante pour le débarrasser de la saponine qui peut lui donner un goût âcre. Faire chauffer 1/2 litre d'eau. Lorsqu'elle bout, incorporer 250 ml de quinoa, puis réduire la température pour atteindre une légère ébullition. Compter 12 minutes de cuisson. Le grain doit croquer sous la dent.

De par sa petitesse, le quinoa cuit rapidement. Pendant la dernière minute de cuisson, on peut le saler, incorporer des légumes tels que des échalotes, du poivron, de l'oignon, du céleri en tous petits dés et l'assaisonner avec du persil. Il peut aussi remplacer le riz blanc dans une recette de poivrons farcis, par exemple.

Orge mondé : cette céréale est depuis longtemps sous-estimée et sous-utilisée. On l'apprête bien sûr dans la soupe, mais on peut faire également d'excellents plats cuisinés, des ragoûts ou des légumes farcis.

Cuisson : compter quatre fois la quantité de liquide par rapport à la quantité de grains. Cuire à feu doux pendant 50 minutes. Ensuite, vérifier la tendreté du grain et prolonger la cuisson en conséquence. Retirer du feu et égoutter. Il est toujours préférable de ne pas saler l'eau de cuisson, car le sel tire l'eau à l'extérieur des grains et les durcit.

On peut facilement la faire cuire la veille et la garder au réfrigérateur.

Voilà qui saura garnir votre assiette et qui remplacera avantageusement la patate !

Lentilles : la lentille du Puy est la plus pratique car la plus rapide à cuire. Pour en varier le goût, ajoutez à l'eau de cuisson les épices ou les parfums de votre choix, par exemple, quelques gousses d'ail, des herbes de Provence, un oignon, des branches de céleri, etc.

Les lentilles en conserve sont une excellente solution pour gens pressés. Favorisez toutefois les lentilles sèches, car la cuisson *al dente* est primordiale. Une « sur-cuisson » élève inutilement l'index glycémique. Cela se produit trop souvent avec les conserves.

Cuisson : cuire 250 ml de lentilles dans trois fois sa quantité d'eau (elles doublent de volume à la cuisson). Les mettre dans l'eau bouillante et réduire la température pour laisser mijoter.

Lentilles vertes et brunes : environ 45 minutes de cuisson.

Lentilles du Puy : environ 25 minutes de cuisson.

Favorisez toujours la lentille entière à la lentille décortiquée (en deux moitiés). Cette dernière n'a plus son écorce ni une partie de ses fibres.

Céleri-rave : ce légume peut servir à fabriquer un substitut de la patate frite. Il suffit de le couper à la manière d'une pomme de terre et de le faire frire dans l'huile.

Pois chiches : voir la recette des « French » chiches, p. 180.

La fin du repas

Pour terminer le repas, nous opterons pour un fromage ou un dessert selon le mets principal. On ne mangera pas de fromage après un repas de pâtes par exemple, car les pâtes sont avant tout glucidiques avec un index glycémique intermédiaire (voir tableau V, p. 33, et annexe I, p. 237). À l'inverse et en vertu des mêmes principes, plusieurs desserts préparés ne pourront être consommés après un repas avec un contenu lipidique. Aussi, il va de soi qu'on ne doit absolument pas manger un fromage et un dessert lors du même repas.

Les **fromages** se mangent sans pain ou sans biscotte. Un autre changement de comportement important et insolite, mais auquel vous arriverez vite à vous adapter, tellement vous apprécierez davantage le goût fin des fromages souvent masqué par celui du pain. Les fromages fermes se dégusteront le plus souvent nature, ce qui ne pose vraiment aucun problème, tandis que les fromages en crème pourront être posés sur un morceau de céleri ou une tranche de courgette.

À noter que du point de vue santé, les fromages fermes sont préférables aux fromages en crème. Les fromages de type gruyère ou jarlsberg sont surtout intéressants, car, ayant un taux élevé en calcium, ils ne sont absorbés que partiellement à cause du phénomène de saponification (*Bon poids, bon cœur avec la méthode Montignac,* p. 150). Ils ont néanmoins un excellent goût et, consommés avec d'autres fromages, ils pourraient vraisemblablement diminuer l'absorption de ces derniers pour la même raison.

Les **desserts** traditionnels ne sont pas l'apanage de cette approche alimentaire, car la très grande majorité contient trop de sucre. Là aussi, il y a des solutions de rechange. Il s'agit d'une question d'habitude. Les desserts à envisager le plus souvent sont :

– Les fruits frais, ceux à index glycémique bas (fraises, framboises, mûres, bleuets), peuvent être consommés après tout genre de repas. En l'absence d'intolérance digestive, il n'est pas nécessaire d'attendre deux heures après la fin du repas. Ceux à index glycémique intermédiaire (voir tableau V, p. 33 et annexe I, p. 239) pourront être consommés après un repas glucidique. Autrement, il vaudra mieux attendre deux heures.

– Les fruits en conserve dans leur jus, sans sucre ajouté, ou les compotes de fruits : mêmes règles que ci-dessus.
– Le yogourt sans gras sans sucre aux fruits avec aspartame : Silhouette de Danone, Astro, Source ou nature.
– Certains desserts maison sans sucre ou sucrés avec du fructose ou de l'aspartame.
– Crème glacée sans sucre sans gras, en vente aux États-Unis, malheureusement pas au Canada, à notre connaissance.

Une fois son poids stabilisé, on peut se permettre certains écarts à l'occasion :
– Crème caramel en évitant d'insister trop sur le sirop…
– Crème brûlée.
– Crème glacée contenant des alginates (par exemple, gomme de guar ou de carraghène, habituellement présente dans les crèmes glacées de moyenne ou de basse gamme où elles y remplacent le gras et contribuent à diminuer l'index glycémique) à laquelle on pourra ajouter des céréales de type Fibre I ou All-Bran. Cela donne un agréable goût croustillant et contribue du même coup à diminuer l'index glycémique.
– Mousse au chocolat.

Autrement, et sauf exception comme ci-dessus, les biscuits, les beignes, les tartes et les gâteaux de fabrication commerciale sont à éviter totalement.

Par ailleurs, vous trouverez à partir de la page 211 quelques recettes de desserts faciles à préparer et que nous mangeons à l'occasion.

Les boissons

Le vin rouge en quantité raisonnable est un composant quotidien du repas du soir. Par goût, bien sûr, mais aussi pour ses vertus préventives à l'égard des maladies cardiovasculaires.

Une tisane, un thé vert ou un décaféiné pourront terminer le repas.

Chapitre XI

Manger au restaurant

Une des objections les plus courantes quant à l'application pratique de cette approche a trait aux difficultés potentielles qui pourraient se présenter lors de sorties au restaurant. Certains réajustements importants seront nécessaires. Ainsi, il faudra savoir choisir son restaurant, et certains établissements auxquels vous étiez peut-être habitués devront malheureusement être rayés de votre carnet d'adresses.

À ce chapitre, nous ne surprendrons personne en affirmant que la plupart des *fast foods* appartiennent à cette catégorie, bien que certains offrent maintenant des options pouvant à la rigueur devenir acceptables. Nous y reviendrons. Une fois attablé au restaurant, il importe aussi de savoir comment interpréter le menu afin de faire les bons choix. De façon surprenante, l'exercice n'est pas aussi difficile qu'il peut paraître et il deviendra rapidement un jeu d'enfant.

En effet, fort de notre expérience de plus de sept ans, nous pouvons affirmer que manger au restaurant ne présente généralement aucune difficulté. Au contraire, nous y prenons plus de plaisir qu'auparavant. Comme plusieurs, nous étions de ceux qui se cantonnaient à quelques établissements de prédilection dont certains *fast foods*.

Le début du repas consistait souvent à faire un usage abondant de pain et de beurre, le tout parfois arrosé d'un apéritif. À l'entrée, nous étions déjà rassasiés, et il ne nous restait que peu de place pour vraiment apprécier la suite. Désormais, nous expérimentons des menus diversifiés dont nous apprécions davantage les goûts. Nous sortons du restaurant pleinement satisfaits mais non gavés.

Qui ne mange pas occasionnellement à l'extérieur de la maison? Que ce soit pour couper la monotonie du quotidien, pour affaires, pour passer du bon temps entre amis, il est agréable de manger dans un décor différent, de sentir de nouvelles odeurs et de goûter des mets inconnus.

Choisir son restaurant

Lorsque nous réservons une table au restaurant, nous choisissons d'abord le type de cuisine. Dans votre ville, vous en viendrez rapidement à connaître les restaurants qui vous conviennent. À l'étranger, il faut davantage se fier à son instinct, mais, en appliquant certains critères de base, nous nous sommes rarement trompés au point de devoir rebrousser chemin ou de se sustenter d'un repas non désiré.

Ainsi, notre préférence porte sur les cuisines française et asiatique, les *steak houses,* les rôtisseries et les restaurants ayant pour spécialités les poissons, les fruits de mer et les fondues. On y trouve généralement plus de choix que dans des pizzerias. Malheureusement, les farines de blé entier ne sont pas encore arrivées dans les cuisines de ces restaurateurs et, bien que la variété des garnitures à pizza soit sans cesse renouvelée, la pâte n'en reste pas moins constituée de farine raffinée avec un index glycémique élevé.

Même chose pour les pâtes qui, à part de très rares exceptions, sont faites de farine blanche et cuites beaucoup plus longtemps qu'elles ne devraient l'être pour conserver un index glycémique acceptable. Une stratégie de remplacement des plus efficaces, lorsqu'il faut choisir un restaurant en territoire inconnu, consiste à se rendre dans le quartier où se trouvent de nombreux restaurants et à consulter d'abord les menus (ils sont généralement affichés à la porte) avant de faire son choix définitif.

Souvent dans l'obligation de composer avec la réalité (un groupe de travail décide de manger dans une pizzeria), nous faisons pour le mieux (salade en entrée et mini pizza avec des légumes), et nous rectifions la situation au repas suivant.

Pour les petits-déjeuners, il va sans dire que les beigneries et autres restaurants du genre sont à éviter. Sauf à de très rares exceptions, nous trouvons généralement notre bonheur, quitte à nous tourner vers un repas lipidique (voir chapitre VIII : œufs, omelettes, jambon, fromage).

LES *FAST FOODS*

Nous tentons évidemment d'éviter le plus possible les *fast foods*. Certains font maintenant de timides efforts pour présenter des menus dits allégés ou santé, mais il reste encore beaucoup de chemin à parcourir. Voici le nouveau McVégé désormais au menu des restaurants McDonald's du Canada :

MCVÉGÉ ᴹᶜˑ SUR PETIT PAIN DE BLÉ ENTIER

Ingrédients

Pâté à McVégé : eau, protéines de soya, huile de soya partiellement hydrogénée, gluten de blé élastique, cellulose modifiée, arôme naturel (origine végétale), vesou évaporé, protéines de maïs et de soya hydrolysées, extrait de levure, épices, sel, colorant caramel, vitamines (B1, B2, B6, B12), acide pantothénique, fer réduit, zinc.

Petit pain de blé entier : farine enrichie (farine de blé, farine d'orge maltée, mononitrate de thiamine, riboflavine, niacine, acide folique, fer réduit), eau, son de blé, sucre, levure, huile de canola, conditionneur de pâte (sulfate de calcium, peroxyde de calcium, stéaroyllactylate de sodium), gluten de blé, sel, propionate de calcium, colorant caramel, semoule de maïs.

Laitue en lanières : laitue Iceberg.

Tranches de tomate : tomates tranchées.

Cornichons à l'aneth en tranches : concombres, eau, vinaigre blanc, sel, chlorure de calcium, benzoate de sodium, épices, polysorbate 80, curcuma, ail.

Ketchup : eau, purée de tomate, sucre et/ou glucose-fructose, vinaigre blanc, sel, aromatisants naturels (origine végétale).

Oignons en lamelles : oignons.

Assaisonnement à pâté McVégé : sel, épices (incluant poivre noir, graines d'aneth, graines de coriandre et poivre rouge), ail, huile de soya partiellement hydrogénée et extraits d'aneth et de paprika.

Moutarde préparée : eau, vinaigre blanc, graines de moutarde, sel, curcuma, son de moutarde, épices.

Premièrement, on remarque que le troisième ingrédient du pâté est de l'huile de soya partiellement hydrogénée, donc une mauvaise graisse, alors qu'il y aurait tout à fait moyen de faire des pâtés du même genre sans utiliser cet ingrédient. Pour ce qui est du petit pain de blé entier, le premier ingrédient est la farine enrichie c'est-à-dire de la farine blanche. Il tire la « justification » de son appellation par l'ajout de son de blé qui ne vient qu'au troisième rang. Par ailleurs, on trouve du sucre au quatrième rang et on notera la présence de colorant caramel, probablement pour lui donner une couleur plus brune ! Sur le plan nutritionnel, ce pain n'a donc aucun avantage, il a même peut-être des désavantages par rapport à un pain blanc traditionnel. Finalement, il y a aussi du sucre dans le ketchup.

Il est intéressant de noter que ces nouveaux menus santé ne sont offerts que dans les McDonald's du Canada, probablement en raison d'une plus forte demande. À noter que les ventes et profits de cette chaîne sont depuis peu en décroissance, du jamais vu depuis sa fondation. Comme quoi, il y a un début de conscientisation chez le consommateur et, par ricochet, dans l'industrie mais il y a néanmoins beaucoup de chemin à parcourir.

Lorsque nous n'avons vraiment pas le choix (le long d'une autoroute), nous optons pour le sous-marin Subway avec pain de blé entier à la dinde garni de légumes. Le pain n'est pas idéal, mais nous semble mieux que celui de McDonald's. En outre, contrairement au McVégé, les autres ingrédients présents dans le sous-marin sont tout à fait conformes. Certaines salades chez McDonald's, Burger King ou autres peuvent à la rigueur convenir, mais il faut être sélectif et parcimonieux, car les vinaigrettes contiennent presque toutes du sucre (à leur défense, vous pouvez généralement vous procurer l'information nutritionnelle du contenu des vinaigrettes).

Le tableau suivant résume nos préférences lorsque vient le temps de choisir un restaurant. Remarquez dans la catégorie des restaurants acceptables la présence de restaurants bon marché. Vous devrez bien sûr correctement interpréter les menus et appliquer les principes de base simples que nous vous exposons plus loin. Dans la pratique, nous avons plusieurs fois réussi à manger dans ces endroits de façon convenable sans déroger à nos principes.

ACCEPTABLES	PASSABLES (À L'OCCASION)	À ÉVITER
Chaînes familiales Saint-Hubert Saint-Germain Normandin, etc. **Cuisines** française italienne grecque asiatique méditerranéenne, etc.	Subway	**Fast foods** McDonald's Burger King Kentucky Ashton, etc. **Beigneries** Duncan Donuts, Tim Horton's, etc. **Pizzerias**

Les principes de base

- La corbeille de pain est retournée *subito presto*! Vous pouvez toujours indiquer que vous ne mangez que du pain à la farine intégrale. Cela pourra peut-être faire réfléchir et fléchir les restaurateurs. Toutefois, nous vous conseillons de ne pas demander du pain de blé entier, car la politesse vous obligera peut-être à manger du pain coloré.

- En entrée, une salade nous convient très bien, mais les escargots à l'ail, le saumon fumé, les asperges ou autres légumes sont aussi parfaits.

- D'un seul coup d'œil, nous reconnaissons quelques appellations : vichyssoise, gratin dauphinois, chaudronnée, *chowder* et parmentier sont synonymes de pomme de terre.

- Nous écartons toutes les fritures et les panures.

- Nous évitons les mets dont la composition est difficile à évaluer, comme les ragoûts, les casseroles, les plats en sauces sucrées ou fruitées.

- Nous demandons toujours quels sont les légumes d'accompagnement, et nous changeons ce qui ne nous convient pas (pomme de terre, riz blanc) par des légumes verts… En disant des légumes verts, le cuisinier ne peut pas se tromper !
- Le dessert demeure un écart au restaurant et est toujours un compromis à la gastronomie !

SAVOIR ANALYSER LE MENU

Il faut penser à l'index glycémique total du repas. Voici nos deux plans de base :

- Une entrée de légumes, un poisson ou une volaille sans gras, un dessert (le moins sucré possible).
- Une entrée, une viande, un fromage. Pas de dessert.

Vin rouge de préférence en accompagnement.
Pas d'apéritif ni de digestif.

Exemple 1 : vous ne pouvez résister à l'envie de prendre des ris de veau à la crème (glucido-lipidique), il s'agira alors de choisir une entrée très sobre comme une salade légère et d'éviter de prendre un dessert sucré. Ainsi, votre choix vous comblera, et vous aurez l'agréable sensation d'avoir une bonne maîtrise de la situation.

Exemple 2 : le restaurant choisi a un gâteau au chocolat de réputation mondiale (j'en rajoute !). Il fera partie de votre repas à coup sûr, alors l'entrée et le mets principal devraient être sur la note *moderato,* c'est-à-dire sans gras saturés d'aucune sorte. Donc pas de viandes grasses, penchez vers le poisson ou la volaille sans gras.

Testez vos connaissances

Voici le menu d'un restaurant type bistrot français que nous aimons bien fréquenter. À noter que ce restaurant ne se fait pas une spécialité de présenter des menus Montignac, et certains des éléments ne conviennent pas, d'autres sont parfaits, et d'autres encore se situent un peu entre les deux. Essayez de deviner lesquels.

AU CLAIR DE LUNE

❦

Assiette campagnarde
Flan d'épinards aux pointes d'asperges
Fine crêpe gaspésienne

Crémeuse du potager
ou
Salade mesclun au vinaigre balsamique

Linguine « Clair de Lune »
Escalope de saumon, sauce homardine
Médaillons de longe de porc confite, sauce à l'érable
Cassolette de cerf bourguignonne
Bavette de bœuf grillée aux trois moutardes
Magret de canard au poivre et vinaigre de framboise
Cassoulet toulousain
Bouillabaisse marseillaise

Assiette gourmande

Café – Thé – Infusions

❧❦

ANALYSE

Entrées : les deux premiers plats sont tout à fait acceptables. Certains objecteront que le pâté de campagne peut contenir des farines ou des amidons, mais s'il est de bonne qualité, elles seront réduites au minimum et, dans le contexte d'un dîner dans un bon restaurant, cela demeure tout à fait acceptable. Quant à la fine crêpe gaspésienne, nous l'éviterions à cause du contenu élevé en farine.

Potage ou salade : la salade est évidemment d'emblée acceptable. Si la crémeuse du marché vous tente, informez-vous s'il s'agit d'une vraie crème ou si elle n'a pas plutôt été épaissie avec de la farine, auquel cas il vaudrait mieux s'abstenir.

Mets principal : ne sont vraisemblablement pas acceptables : 1) les linguine, car les pâtes servies dans les restaurants ont presque à coup sûr un index glycémique élevé ; 2) la cassolette de cerf bourguignonne, analogue à un bœuf bourguignon, à moins que la sauce n'ait pas été épaissie avec de la farine, ce qui est plutôt rare. Le cassoulet constitue un léger écart puisqu'il s'agit de viandes grasses servies avec des légumineuses (IG entre 20 et 50) et la longe de porc peut être acceptable servie sans la sauce à l'érable. Pour tous les mets, il faut demander s'ils sont servis avec des pommes de terre, du riz ou des pâtes et, dans l'affirmative, faire remplacer ces derniers par une portion plus importante de légumes, ce à quoi se plient avec grand plaisir la très grande majorité des restaurateurs.

Desserts : l'assiette gourmande est constituée d'un choix de desserts variés. Sauf exceptionnellement, les gâteaux ou les tartes sont à éviter à cause de leur contenu élevé en farine et en sucre. Bien qu'elles constituent des écarts, les gâteries suivantes peuvent demeurer acceptables dans un tel contexte : crème brûlée, crème caramel, crème glacée (de préférence au sorbet qui a un index glycémique beaucoup plus élevé), mousse ou soufflé (surtout au chocolat), salade de fruits frais.

Fromages : bien que ne faisant pas partie de cette table d'hôte, ils peuvent parfois être offerts en remplacement du dessert ou même à la carte. Nous choisissons souvent cette option, et nous nous abstenons de dessert. Néanmoins, n'oubliez pas que le fromage se mange nature sans pain ou biscotte, ce qui a bien meilleur goût de toute façon.

Manger au cinéma...

« Je suis incapable d'aller au cinéma sans m'offrir du maïs soufflé au beurre et un Coca-cola ! » Voilà ce que disait récemment une personne obèse à son amie, les deux femmes étant assises près de moi. C'est peut-être préférable que de manger une pizza en regardant un film vidéo, comme le proposent maintenant certains commerces vidéo. Mais là réside le seul coté positif de cette confession. L'association d'une activité à un mets ou à une friandise est un modèle qu'il faut combattre ! Cela dit, la tentation régnant partout, mieux vaut la prévenir en ayant toujours des en-cas nutritifs dans ses poches, telles des graines de tournesol et de soya, des amandes, des cacahuètes.

Manger en avion...

En réservant un billet d'avion, vous pouvez demander un type de repas répondant à vos principes religieux ou à vos besoins de santé. À titre d'exemple, voici la sélection de 17 repas spéciaux offerts par Air Canada :

- Repas asiatique végétarien
- Repas de bébé
- Repas doux (ulcère)
- Repas d'enfant
- Repas pour diabétique
- Plateau de fruits (repas)
- Repas sans gluten
- Repas hindouiste
- Repas cascher
- Repas faible en calories
- Repas faible en cholestérol/graisses
- Repas faible en sel
- Repas musulman
- Repas oriental
- Repas végétarien (sans produits laitiers)
- Repas lacto-ovo-végétarien
- Repas sans lactose

Malheureusement, on n'offre pas encore de repas à index glycémique bas. On pourrait penser que les repas pour diabétiques ou les menus végétariens sont convenables, mais, pour les avoir déjà expérimentés, les deux contiennent le plus souvent, et en quantité abondante, des pâtes raffinées, des pommes de terre ou du riz avec, en prime dans le cas du menu végétarien, un gâteau pour dessert. Même chose pour les repas pauvres en matières grasses ou en calories. Jusqu'à présent, à nos yeux, les meilleures solutions de remplacement sont l'assiette de fruits (pris de façon isolée, ce n'est pas toujours très rassasiant) ou, comme nous l'avons constaté récemment auprès d'un compagnon de voyage, le repas végétarien asiatique (de façon surprenante, il contenait beaucoup de légumes frais et peu de riz, reste à savoir si c'est toujours le cas).

Dans une perspective d'avenir, force est de constater que l'alimentation basée sur les index glycémiques devient plus populaire que plusieurs de ces choix. Espérons que les compagnies aériennes en seront conscientes et proposeront bientôt cette autre sélection.

Les buffets à volonté...

(Le mont Everest dans votre assiette.)

La quantité n'a pas d'importance, dirons-nous, mais soyez des plus vigilants quant au contenu de votre assiette. Votre résistance sera peut-être mise à rude épreuve! Dans ce genre de repas, sachez que la quantité est souvent l'antithèse de la qualité.

Les distributrices

Vous en trouverez un peu partout, car elles sont là pour vous permettre de soulager une fringale. Malheureusement, elles ne contiennent très souvent que des aliments à base de mauvaises graisses et de mauvais sucres, alors qu'il y aurait moyen de les garnir de choix tout aussi attrayants mais beaucoup plus intéressants sur le plan de la santé.

Nos suggestions :

— fruits frais ;
— fruits séchés (abricots, prunes) ;
— amandes nature ;
— arachides nature ;
— noix de Grenoble ;

– graines de tournesol ;

– graines de soya ;

– chocolat à 70 % de cacao ;

– fromage type ficelle ou Babybel ;

– compote de fruits sans sucre ajouté ;

– yogourt sans sucre.

Comme on peut le constater, ce ne sont pas les choix qui manquent mais bien plus une absence de conscientisation.

Souhaits pour l'avenir...

Des corbeilles de pain avec un choix de pain intégral.

Des lentilles, de l'orge, du riz sauvage aromatisé en option pour remplacer la pomme de terre ou le riz blanc.

Toujours avoir une option fromage dans la table d'hôte en remplacement du dessert.

Moins ou pas du tout de farine et/ou de sucre dans les sauces.

Des pâtes de blé entier cuites *al dente* et servies avec une sauce végétarienne.

Malgré tout

À l'occasion, vous pourrez, comme nous, avoir de mauvaises surprises. Dans un restaurant de spécialités japonaises, on nous a servi des makis (rouleaux de riz, d'algues, de poissons ou de légumes) panés... rien de moins. Le chef avait enrobé les makis de panure et les avait fait frire dans l'huile. Jamais nous n'aurions pensé à demander si les makis étaient frits ! Devant notre très grande déception, la serveuse nous a spontanément proposé de les changer, ce qui est tout à l'honneur de ce restaurant. Peut-être auront-ils aussi appris quelque chose… En contrepartie, récemment, nous nous sommes émerveillés devant de larges plateaux contenant des cuillères alignées qui servaient de réceptable à d'appétissantes bouchées : tartare de thon, saumon fumé crème et câpres, etc. Le concept fort original est du restaurant traiteur Le Saint-Amour de Québec. Les lois du commerce étant ce qu'elles sont, les désirs des consommateurs finiront par influencer les choix des commerçants.

Chapitre XII

Les sauces et les coulis

Les principes de base

On pourrait objecter que l'approche alimentaire que nous avons adoptée en 1997 et adaptée peut être à la longue monotone, et c'est souvent pourquoi certains sont incapables de suivre un régime à long terme. Dans ce contexte, à ingrédients égaux, les sauces et les coulis font souvent la différence entre un plat sans attrait particulier et un délice culinaire. C'est d'ailleurs à cela que l'on reconnaît les grands chefs. Nous y consacrons donc un chapitre afin de démontrer que mets santé et gastronomie peuvent faire bon ménage. En effet, à l'aide de sauces diverses, on réussit à varier les saveurs de mets parfois très simples. Le steak haché peut avoir une tout autre allure si on le nappe d'une sauce aux champignons ou d'une sauce au fromage bleu !

Voici la liste des ingrédients à avoir sous la main pour rehausser vos plats :
- crème 15 %, yogourt nature, tofu soyeux mou, fromages ;
- condiments : moutardes, sauces Tabasco, Worcestershire, soya, tamari, salsa et vinaigres variés ;
- câpres, variété de noix et d'amandes ;
- fruits secs ;
- herbes et épices fraîches, congelées ou séchées ;
- racine de gingembre fraîche ou congelée ;
- tomates séchées dans l'huile ;
- sauce et pâte de tomates en conserve ;
- restes de vin congelés dans un bac à glace ;
- bouillon maison congelé conservé dans des bocaux ou en portions dans des sacs pour congélation ;
- zestes de citron, de lime ou d'orange frais ou congelés.

Vous noterez que la farine est exclue des ingrédients de nos recettes de sauces. On pourrait à la limite accepter quelques cuillerées de farine intégrale, mais nous avons opté pour d'autres façons d'épaissir les sauces. Nous avons donc supprimé la farine, la fécule et la pomme de terre souvent utilisées pour épaissir les potages. Comment pourra-t-on lier nos sauces et nos potages ? Voici quelques façons de procéder :

- La réduction : il s'agit là d'une façon de rendre plus consistant un bouillon, ou une sauce, en le faisant bouillir à découvert, à feu moyen, et en brassant jusqu'à consistance désirée. Cette opération accentuant les saveurs, il faut se garder de trop assaisonner.

- Les jaunes d'œufs : l'ajout de jaunes d'œufs est la façon traditionnelle de lier les sauces hollandaises et béarnaises ainsi que la mayonnaise. La règle d'or dans ce cas est de ne jamais faire bouillir la sauce, car elle pourrait tourner. Il est essentiel de travailler à feu doux et de très bien contrôler cette chaleur. Pour éviter la formation de grumeaux, réchauffer les jaunes d'œufs avec quelques cuillerées du mélange chaud avant de les incorporer.

- Le beurre ou la crème ajouté à feu très doux pourra éventuellement donner plus de corps à une sauce. Un peu de crème sure ou de yogourt épais dans une soupe au moment de servir la rendra plus épaisse.

- Le lait écrémé en poudre à forte concentration et bien fouetté épaissira une sauce à la crème.

- Le fromage râpé ou émietté épaissira avantageusement un réduit de vin blanc dans une poêle ayant servi à la cuisson d'un poisson, par exemple.

- Les purées : toutes les purées que l'on peut transformer à même les légumes qui ont servi à donner du goût aux jus de cuisson des préparations. La purée faite de champignons en conserve réduits au mélangeur, la purée d'oignons cuits, la purée d'abricots secs, réhydratés et réduits au mélangeur, etc. À vous d'allonger la liste !

LES SAUCES À SALADES

Les vinaigrettes industrielles sont pour la plupart sucrées, et bourrées d'amidon et d'ingrédients hyperglycémiants. On peut s'en passer, car il ne suffit que de quelques minutes pour s'en préparer d'excellentes.

Les sauces offertes dans les livres de recettes contiennent habituellement du sucre ou du miel. Supprimez l'ingrédient sucrant ou remplacez-le par une moindre quantité de fructose.

VINAIGRETTE DE TOUS LES JOURS
125 ml (1/2 tasse)

90 ml (6 c. à soupe) d'huile

30 ml (2 c. à soupe) de vinaigre ou de jus de citron

15 ml (1 c. à soupe) de moutarde de Dijon

1 gousse d'ail écrasée

Fines herbes hachées

Sel et poivre

Mélanger tous les ingrédients. Cette vinaigrette peut se conserver au réfrigérateur quelques jours dans un bocal hermétique.

⊰⧽⧽⧽

VINAIGRETTE AU FROMAGE BLEU
160 ml (2/3 tasse)

125 ml (1/2 tasse) de fromage bleu émietté
30 ml (2 c. à soupe) d'huile d'olive ou de canola
ou moitié-moitié
30 ml (2 c. à soupe) de crème champêtre 15 %
Sel et poivre

Mettre tous les ingrédients dans un bol allant au micro-ondes et réchauffer progressivement le mélange en brassant toutes les 30 s jusqu'à l'obtention d'un mélange crémeux.

❧

VINAIGRETTE AUX AGRUMES
125 ml (1/2 tasse)

Jus d'une orange
5 ml (1 c. à thé) de zeste d'orange
Jus d'un citron
5 ml (1 c. à thé) de zeste de citron
45 ml (3 c. à soupe) de vinaigre de riz
80 ml (1/3 tasse) d'huile de canola
Quelques brins d'aneth hachés
Sel et poivre

Passer au mélangeur ou au robot culinaire tous les ingrédients pour obtenir une sauce homogène.

Accompagnement : Servir sur une belle laitue tendre, comme la Boston.

VINAIGRETTE VIETNAMIENNE
250 ml (1 tasse)

75 ml (5 c. à soupe) de sauce de poisson Nuoc Mam
75 ml (5 c. à soupe) d'eau
30 ml (2 c. à soupe) de vinaigre de riz
5 ml (1 c. à thé) de fructose
5 ml (1 c. à thé) de piments broyés
1 gousse d'ail
Carottes crues râpées, au goût
Arachides hachées, au goût

Mélanger les 6 premiers ingrédients. Pour les personnes qui n'auraient pas l'habitude de la sauce Nuoc Mam, on peut en réduire la quantité et augmenter la quantité d'eau. Cette vinaigrette se conserve au réfrigérateur dans un bocal hermétique jusqu'au moment de servir. Avant d'en assaisonner des légumes croquants, broyer des arachides et ajouter un peu de carottes râpées.

Accompagnement : Cette vinaigrette convient parfaitement au concombre et à la courgette coupés en fins bâtonnets et servis en entrée.

Note : La sauce Nuoc Mam est une sauce à base de poisson utilisée dans la cuisine vietnamienne. Elle se vend dans les épiceries asiatiques et, de plus en plus, dans les grandes surfaces.

❧❀❧

LES SAUCES POUR LÉGUMES

Les légumes cuits à la vapeur manquent souvent d'attrait selon bien des jeunes… Voici quelques sauces qui satisferont les plus récalcitrants !

SAUCE STYLE HOLLANDAISE
250 ml (1 tasse)

3 jaunes d'œufs
150 g (5 oz) de beurre ramolli
Jus de 2 oranges
Sel et poivre

Battre les jaunes d'œufs et ajouter graduellement le beurre. Placer dans un bain-marie et laisser épaissir, à feu doux, en remuant constamment. Une cuisson trop forte ferait coaguler les œufs. Lorsque la sauce est prise, ajouter le jus d'orange, une petite quantité à la fois jusqu'à ce que la sauce ait une consistance onctueuse. Assaisonner.

Accompagnement : Excellente avec les asperges et les poireaux.

❧❦❦

SALSA
250 ml (1 tasse)

2 tomates épépinées et coupées en dés
1/4 d'oignon moyen émincé finement
1/4 de piment jalapeño épépiné et émincé
ou un autre piment
Origan, au goût
2 ou 3 gouttes de Tabasco
Sel et poivre
Jus de citron ou de lime, au goût

Mélanger ensemble les ingrédients et laisser reposer 1 h. Cette préparation se conserve 2 à 3 jours au réfrigérateur.

Note : On trouve sur le marché des salsas qui font très bien l'affaire, sans sucre, sans amidon, pour les jours où l'on est pressé ou un peu paresseux !

❧❧❦❦

SAUCE À LA PROVENÇALE
500 ml (2 tasses)

8 tomates
1 oignon émincé
1 poivron vert en fines lamelles
1 poivron jaune
6 gousses d'ail émincées
2 feuilles de laurier

Sel et poivre
15 ml (1 c. à soupe) d'herbes de Provence

Ébouillanter les tomates 30 s, laisser refroidir et ôter la peau. Les couper en cubes. Mettre tous les ingrédients dans une casserole et cuire à feu vif 10 min. Couvrir et laisser mijoter 25 min. Retirer les feuilles de laurier.

Accompagnement : La sauce à la provençale convient aux poissons à chair blanche et à tous les légumes.

❦

CONCASSÉ DE TOMATES
375 ml (1 1/2 tasse)

250 ml (1 tasse) de tomates fraîches lavées
et épépinées, en dés
80 ml (1/3 tasse) d'oignon en dés
45 ml (3 c. à soupe) d'huile d'olive
15 ml (1 c. à soupe) de vinaigre de riz
Fines herbes hachées

Mélanger ensemble tous les ingrédients et servir en condiment avec à peu près tout. Le concassé est meilleur préparé un peu à l'avance. Il ajoute une touche de couleur et de lycopène dans votre assiette !

❦

LES SAUCES À FONDUE

Essayez ces sauces à fondue à base de tofu soyeux mou faciles et rapides à réaliser. On peut mélanger le tofu mou à de la moutarde de Dijon, à de la pâte de curry rouge, à du fromage bleu, etc. Le tofu n'ayant pas de goût, on peut en varier les saveurs à l'infini en y ajoutant un assaisonnement suffisamment concentré pour le transformer en une succulente sauce froide.

SAUCES AU TOFU SOYEUX

125 ml (1/2 tasse) • *Sauce à la moutarde*

125 ml (1/2 tasse) de tofu soyeux mou

5 ml (1 c. à thé) de moutarde de Dijon

15 ml (1 c. à soupe) d'huile d'olive

1 gousse d'ail écrasée

Sel

Fines herbes

125 ml (1/2 tasse) • *Sauce au curry*

125 ml (1/2 tasse) de tofu soyeux mou
15 ml (1 c. à soupe) d'huile d'olive
5 ml (1 c. à thé) de pâte de curry rouge
Sel

250 ml (1 tasse) • *Sauce au fromage bleu*

125 ml (1/2 tasse) de tofu soyeux mou
15 ml (1 c. à soupe) d'huile d'olive
125 ml (1/2 tasse) de fromage bleu émietté
Sel et poivre

Mélanger les ingrédients de chacune des sauces jusqu'à l'obtention d'une consistance onctueuse. Préparer un peu d'avance pour laisser les arômes se marier.

Note : Un mini robot culinaire facilite la réalisation de ces sauces. La texture en sera plus lisse plus rapidement.

⚜

Presque toutes les mayonnaises commerciales contiennent du sucre, il est donc très utile d'en préparer une soi-même, qui servira de base pour différentes sauces à fondue. Voici une recette vite faite de mayonnaise sans sucre.

MAYONNAISE
250 ml (1 tasse)

1 œuf
2 ml (1/2 c. à thé) de poudre de moutarde
30 ml (2 c. à soupe) de jus de citron
Une pincée de sel
Fines herbes (facultatif)
250 ml (1 tasse) d'huile de canola

Fouetter ensemble tous les ingrédients, à l'exception de l'huile. Ajouter l'huile goutte à goutte en fouettant jusqu'à la consistance désirée. Se conserve quelques jours au réfrigérateur.

❧|❦

SAUCE MOUTARDE
160 ml (2/3 tasse)

125 ml (1/2 tasse) de mayonnaise maison
15 ml (1 c. à soupe) de poudre de moutarde
30 ml (2 c. à soupe) de moutarde de Dijon

Mélanger ensemble.

❧|❦

SAUCE À L'AIL
200 ml (3/4 tasse)

1/2 oignon émincé et rôti
125 ml (1/2 tasse) de mayonnaise maison
5 gousses d'ail

Dans une poêle antiadhésive, à feu moyen, faire rôtir les oignons à sec jusqu'à ce qu'ils prennent une couleur caramélisée, puis les ajouter aux autres ingrédients.

LES SAUCES POUR LE POISSON

Les filets de poissons sont rapides à préparer et ne demandent pas une longue cuisson. Si on en consomme régulièrement, on peut varier les assaisonnements et les sauces pour les apprécier toujours davantage.

SAUCE AUX CÂPRES ET AU PERSIL
875 ml (3 1/2 tasses)

125 ml (1/2 tasse) de câpres
375 ml (1 1/2 tasse) de persil haché
125 ml (1/2 tasse) d'amandes
30 ml (2 c. à soupe) de vinaigre
30 ml (2 c. à soupe) de jus de citron
250 ml (1 tasse) d'huile d'olive
Sel et poivre

Broyer les 5 premiers ingrédients au mélangeur. Ajouter l'huile d'olive en un mince filet, jusqu'à l'obtention d'une sauce homogène. Saler et poivrer.

Note : Les quantités et les parfums des ingrédients de cette sauce s'adaptent à tous les goûts. Vous aimez les câpres ? mettez-en un peu plus. Vous préférez l'huile de canola ? c'est aussi une bonne idée ! L'eau vinaigrée des câpres peut remplacer le jus de citron… La sauce ne goûte jamais tout à fait la même chose, mais elle est toujours très appréciée.

Accompagnements : — Cette sauce convient bien à un poisson cuit en papillote au four. Verser généreusement de la sauce sur le papier aluminium avant d'y déposer le poisson. Couvrir de sauce et fermer hermétiquement. Cuire au four à 200 °C (400 °F) 15 à 20 min.

— Servez-la en saucière avec un filet de sole ou de turbot, ou avec une darne de flétan, qui aura été saisi rapidement dans une poêle antiadhésive.

— Elle peut se substituer au pesto pour aromatiser les pâtes.

❧❘❦

COULIS DE COURGETTES
375 ml (1 1/2 tasse)

3 courgettes moyennes pelées, en tronçons
Crème 35 %
Estragon haché

Persil haché
Quelques gouttes de Tabasco
Sel et poivre

Cuire les courgettes à la vapeur 8 min. Égoutter et laisser tiédir. Mettre au mélangeur et broyer quelques secondes en ajoutant juste assez de crème pour obtenir une texture homogène. Transvider dans un bol et assaisonner.

Accompagnement : On l'utilise avec le poisson ou pour rehausser une terrine.

⊰∣⊱

SAUCE AUX ANCHOIS

200 ml (3/4 tasse)

4 filets d'anchois
5 ml (1 c. à thé) de moutarde de Dijon
Jus d'un demi-citron
1 yogourt nature de 175 g
1 gousse d'ail écrasée
Poivre

Rincer les filets d'anchois, les hacher finement et mélanger avec les autres ingrédients.

Accompagnement : Servir avec un poisson.

⊰∣⊱

TZATZIKI
250 ml (1 tasse)

1 yogourt nature 10 % de 175 g
1/2 **concombre épluché et épépiné**
1 gousse d'ail écrasée
Menthe, au goût
15 ml (1 c. à soupe) d'huile d'olive
Sel et poivre

Broyer tous les ingrédients au mélangeur jusqu'à l'obtention d'un mélange homogène. Réfrigérer avant de servir.

Accompagnement : Idéale avec un poisson entier cuit au barbecue.

❧∥❦

SAUCE CRÉMEUSE À L'ESTRAGON
125 ml (1/2 tasse)

4 échalotes françaises hachées
5 ml (1 c. à thé) de vinaigre
80 ml (1/3 tasse) de vin blanc
2 jaunes d'œufs battus
60 ml (4 c. à soupe) de crème 15 %
Sel et poivre
15 ml (1 c. à soupe) d'estragon haché

Dans une casserole, faire suer l'échalote 1 min. Verser le vinaigre et le vin blanc. Cuire à feu vif et faire réduire de moitié. Hors du feu, incorporer délicatement les jaunes d'œufs dans la préparation tiédie. Ajouter la crème et assaisonner. Bien remuer pour que la sauce reste homogène. Si nécessaire, réchauffer la sauce à feu doux, mais sans la faire bouillir. Quelques instants avant de servir, incorporer l'estragon.

Accompagnement : On l'utilise avec le poisson ou une viande blanche.

⊰‖⊱

LES SAUCES POUR LA VIANDE

Ces quelques recettes de sauces accompagneront aussi bien un bifteck, un médaillon, une escalope… enfin, toute viande qui demande à être saisie à la poêle.

SAUCE AUX CHAMPIGNONS
250 ml (1 tasse)

**1 boîte de 284 ml de champignons
ou la même quantité de champignons frais en quartiers
30 ml (2 c. à soupe) d'oignon finement haché
125 ml (1/2 tasse) de vin blanc sec
80 ml (1/3 tasse) environ de crème champêtre 15 %
Sel et poivre
Persil haché ou séché**

Saisir votre pièce de viande à la poêle dans un peu d'huile d'olive. Dès qu'elle atteint le degré de cuisson désiré, retirer la viande de la poêle et la garder au four à peine chaud pendant la préparation de la sauce. Dans le même poêlon, mettre les champignons et les faire sauter, à feu moyen-haut, 2 min. Ajoutez les oignons et poursuivre la cuisson jusqu'à ce qu'ils soient transparents. À feu vif, verser le vin tout en remuant avec une cuillère en bois. Laissez réduire 1 min. Baisser le feu et, sans cesser de remuer, ajouter progressivement la crème jusqu'à consistance désirée. Assaisonner et ajouter le persil. Bien mélanger avant d'en napper la viande, accompagnée d'un légume vert.

Variante : Essayer différentes variétés de champignons (shiitake, pleurote, portobello, bolet) pour une sauce des grandes occasions.

⊁⊁I⊰⊱

SAUCE AIGRE-DOUCE
200 ml (3/4 tasse)

125 ml (1/2 tasse) de jus de tomate
60 ml (4 c. à soupe) de sauce soya
4 gousses d'ail écrasées
60 ml (4 c. à soupe) de vinaigre de vin
Sel et poivre
5 ml (1 c. à thé) de fructose
Persil haché

Dans une casserole, mélanger ensemble tous les ingrédients, à l'exception du persil. Cuire à feu doux 15 à 20 min. Parsemer de persil haché avant de servir.

Accompagnement : Voilà une bonne façon de donner un parfum exotique à n'importe quelle viande.

⊁⊁I⊰⊱

SAUCE AUX NOIX DE CAJOU
375 ml (1 1/2 tasse)

30 ml (2 c. à soupe) d'huile d'olive
1 oignon haché
125 ml (1/2 tasse) de noix de cajou
200 ml (3/4 tasse) de bouillon de poulet maigre
4 filets d'anchois hachés
Poivre
60 ml (4 c. à soupe) de crème 15 %
Sel

Dans une petite casserole, chauffer l'huile et faire dorer l'oignon et les noix. Ajouter le bouillon de poulet, les anchois et poivrer. Porter à ébullition, réduire le feu et laisser mijoter 5 min. Broyer au mélangeur jusqu'à l'obtention d'une consistance onctueuse. Remettre dans la casserole, verser la crème et laisser mijoter 2 min. Rectifier l'assaisonnement et saler au besoin.

Accompagnement : Servie avec des filets de porc, cette sauce est très appréciée.

❧❦❧

SAUCE À L'AIL
125 ml (1/2 tasse)

4 gousses d'ail hachées
45 ml (3 c. à soupe) d'huile d'olive
80 ml (1/3 tasse) de crème 15 %

Mettre l'ail et l'huile dans une petite casserole et, à feu très doux, laisser s'aromatiser l'huile sans trop cuire l'ail, environ 3 min. Ajouter la crème et mélanger. Laisser mijoter 2 min.

Accompagnement : Servir en saucière avec un bifteck ou des tournedos grillés au barbecue.

⊰⊱

SAUCE AU COGNAC
375 ml (1 1/2 tasse)

4 tomates
1 oignon finement haché
15 ml (1 c. à soupe) d'eau
Sel
Cayenne
45 ml (3 c. à soupe) de cognac
60 ml (4 c. à soupe) de crème 15 %
Ciboulette hachée

Ébouillanter les tomates 30 s, laisser refroidir et ôter la peau. Les couper en dés. Dans une casserole, faire cuire l'oignon avec l'eau. Dès qu'il devient transparent, ajouter les tomates. Cuire à feu doux 10 min. Assaisonner et parfumer avec le cognac. Poursuivre la cuisson 5 min. Avant de servir, incorporer la crème et la ciboulette.

⊰⊱

LES SAUCES
POUR LES PÂTES

SAUCE AUX LENTILLES
8 à 10 portions

250 ml (1 tasse) de lentilles vertes non cuites

30 ml (2 c. à soupe) d'huile d'olive

5 branches de céleri en dés

3 oignons moyens hachés

1 gros poivron vert en dés

3 gousses d'ail émincées

2 boîtes de 680 ml de sauce tomate non sucrée

2 boîtes de 796 ml de tomates en dés

1 feuille de laurier

Quelques gouttes de Tabasco

60 ml (4 c. à soupe) de sauce tamari

Épices à l'italienne, au goût

Rincer les lentilles, les mettre dans une grande casserole avec 2 fois leur quantité d'eau. Amener à ébullition, laisser bouillir 3 min avant de retirer la casserole du feu et laisser reposer. Pendant ce temps, dans une grande casserole, chauffer l'huile et attendrir le céleri et l'oignon 2 à 3 min. Ajouter les poivrons et l'ail, poursuivre la cuisson 1 min avant d'ajouter le reste des ingrédients. Égoutter les lentilles et les ajouter. Laisser mijoter à feu moyen-doux, en remuant de temps en temps, 45 min ou jusqu'à ce que les lentilles soient croquantes sous la dent.

❧❧❧

SAUCE EXPRESS AUX LENTILLES
6 portions

1 boîte de 540 ml de lentilles égouttées
1 boîte de 680 ml de sauce tomate
Assaisonnements, au goût : ail, épices à l'italienne,
poudre d'oignon, moutarde de Dijon, Tabasco…
Parmesan râpé

Mélanger tous les ingrédients, à l'exception du parmesan, dans une casserole et réchauffer. Déposer sur un plat de pâtes de blé entier cuites *al dente*. Saupoudrer de parmesan râpé.

Accompagnement : Servie avec une petite salade, on obtient un repas équilibré.

❧❧❧

SAUCE AUX PALOURDES
1 l (4 tasses)

15 ml (1 c. à soupe) d'huile d'olive
1 branche de céleri en dés
1 oignon haché
2 gousses d'ail écrasées
1 boîte de 796 ml de tomates
1 boîte de 142 g de petites palourdes
3 ou 4 gouttes de Tabasco
Une pincée de fructose
45 ml (3 c. à soupe) de sauce soya
Origan, romarin, basilic
Sel et poivre
30 ml (2 c. à soupe) de pâte de tomates (facultatif)

Dans une casserole, chauffer l'huile et faire sauter le céleri, l'oignon et l'ail, à feu moyen, environ 2 min. Ajouter les tomates, le jus des palourdes et laisser mijoter 30 min à découvert. Ajouter les palourdes et les assaisonnements et poursuivre la cuisson 5 min. Pour une consistance plus épaisse, incorporer la pâte de tomates.

Accompagnement : Servir sur des spaghettinis ou des spaghettis de blé entier cuits *al dente* et, si désiré, parsemer de parmesan râpé.

❧∎❦

SAUCE TOMATE PASSE-PARTOUT
10 portions

30 ml (2 c. à soupe) d'huile d'olive
4 oignons émincés
4 gousses d'ail émincées
4 branches de céleri en dés
1 poivron vert en cubes
60 ml (4 c. à soupe) d'huile d'olive
2 boîtes de 540 ml de tomates
4 boîtes de 213 ml de sauce tomate non sucrée
1 boîte de 156 ml de pâte de tomates
10 ml (2 c. à thé) de fructose
1 boîte de 284 ml de champignons
ou la même quantité de champignons frais en quartiers
15 ml (1 c. à soupe) d'épices à l'italienne
15 ml (1 c. à soupe) de sauce Worcestershire
Tabasco, au goût
2 ml (1/2 c. à thé) de piments broyés
Sel et poivre

Dans une casserole, chauffer l'huile et faire revenir l'oignon, l'ail, le céleri et le poivron 2 min. Ajouter les autres ingrédients. Amener à ébullition, réduire le feu et laisser mijoter 2 h, à découvert.

Accompagnement : Cette sauce se prête bien à la préparation de lasagnes et peut aussi rehausser un plat de légumes, une terrine de lentilles et bien d'autres mets.

⇥‖⇤

SAUCE AUX POIVRONS JAUNES
375 ml (1 1/2 tasse)

30 ml (2 c. à soupe) d'huile
6 poivrons jaunes pelés, épépinés, en fines lamelles
1/2 oignon en lamelles
250 ml (1 tasse) de vin blanc sec
Sel et poivre
Estragon et ciboulette hachés

Dans une petite casserole, chauffer l'huile et faire revenir les légumes, à feu doux, jusqu'à ce qu'ils soient tendres. Verser le vin, amener à ébullition et, à feu moyen, faire réduire du tiers. Passer au mélangeur, rectifier l'assaisonnement et garnir des fines herbes.

Accompagnement : Servir sur des spaghettinis ou des spaghettis de blé entier cuits *al dente.*

❦

LES COULIS
POUR LES DESSERTS

COULIS DE PÊCHES

375 ml (1 1/2 tasse)

4 pêches

Jus d'un citron

Quelques gouttes d'extrait de vanille

Quelques gouttes d'extrait d'amandes

Une pincée de cannelle

15 ml (1 c. à soupe) de fructose

**15 ml (1 c. à soupe) de vodka, cognac,
saké ou autre alcool (facultatif)**

Peler, dénoyauter et couper les pêches en morceaux. Dans une casserole, cuire les pêches dans un peu d'eau. Laisser tiédir avant de les broyer au mélangeur avec les autres ingrédients. Réfrigérer et servir frais.

⊶⊷

COULIS DE POIRES

500 ml (2 tasses)

3 poires

200 ml (3/4 tasse) de vin blanc sec

15 ml (1 c. à soupe) de fructose

1 yogourt nature de 175 g

Cannelle ou poudre de cacao pour la garniture

Peler les poires et les couper en morceaux. Les cuire, à feu doux, dans le vin blanc et le fructose 15 min. Broyer au mélangeur et incorporer le yogourt. Bien mélanger afin d'obtenir un coulis onctueux. Pour la décoration, saupoudrer légèrement de cannelle ou de poudre de cacao.

Accompagnement : On peut en garnir le fond d'une assiette et y déposer des morceaux de fruits frais.

❦

Chapitre XIII

Des recettes simples et pratiques

C e recueil de recettes a été conçu à partir de nos expériences personnelles et vous aidera à comprendre les principes de base de cette nouvelle approche alimentaire. Les recettes de ce livre ne sont ni trop compliquées ni trop longues à réaliser. Certaines demanderont un peu de planification, mais le temps de préparation reste très acceptable.

LES AMUSE-GUEULES

Les amuse-gueules ne font pas partie de nos habitudes quotidiennes, mais lorsque nous recevons des amis les bouchées énumérées ci-dessus sont toujours très appréciées. Vous pouvez transformer en quelques minutes une foule d'aliments qui s'intègrent parfaitement dans notre nouvelle façon d'aborder l'alimentation. En voici une courte liste qui, nous l'espérons, vous inspirera :

– cubes de fromage ;

– œufs de caille ;

– asperges cuites mais encore croquantes enroulées de jambon de Bayonne ;

– pain pumpernickel, tartiné de fromage à la crème léger, garni de saumon fumé ;

– trempette avec légumes crus, salsa, tzatziki ou hoummos du commerce ;

– pois chiches grillés au four (page 180) ;

LÉGUMES À FARCIR	GARNITURE
• Tomates cerises évidées	• Fromage à la crème léger
• Champignons	• Fromage bleu et noix
• Feuilles d'endives	• Saumon fumé, moules, huîtres
• Pois mange-tout	• Œufs de lompe
• Fonds d'artichaut	• Crevettes, pétoncles miniatures
• Demi-courgettes évidées	• Œufs brouillés
• Feuilles nori (algues)	• Ratatouille
	• Tapenade
	• Hoummos
	• Baba Gannouj
	• Crème d'anchois

BROCHETTES MARINÉES

Comme élément d'un buffet ou en hors-d'œuvre, leur succès est assuré.

Couper en deux des brochettes en bois et les faire tremper au moins 15 min dans l'eau pour éviter qu'elles ne brûlent durant la cuisson.

Varier les marinades selon votre goût. Parfumer un mélange de base composé de deux parties d'huile pour une partie acide (vinaigre ou jus d'agrume) auquel on ajoute des fines herbes, du curry, du gingembre râpé ou ajouter du piquant avec un petit piment jalapeño. Tout est permis.

Ces petites brochettes sont succulentes telles quelles, mais vos convives seront ravis qu'elles soient accompagnées d'une mayonnaise maison, d'une salsa, d'une sauce vietnamienne ou de toute autre trempette.

BROCHETTES DE SAUMON
16 petites brochettes

500 g (1 lb) de filets de saumon

Marinade
125 ml (1/2 tasse) d'huile de canola
60 ml (4 c. à soupe) de jus de citron ou d'orange
15 ml (1 c. à soupe) de sauce soya
Poivre
Graines de pavot pour la garniture

Couper un filet de saumon en 48 morceaux de la même épaisseur pour que la cuisson soit uniforme. Dans un plat creux, mélanger ensemble les ingrédients de la marinade et y mettre les morceaux de saumon à mariner environ 1 h. Couper en 2 les brochettes en bois et les faire tremper dans l'eau au moins 15 min. Enfiler les morceaux de saumon sur 16 brochettes. Placer dans le haut du four sous le gril et dorer 3 min de chaque côté ou jusqu'à ce que la chair du poisson soit opaque. Étaler les graines de pavot dans une assiette et y déposer les brochettes de manière à en enrober un côté seulement. Servir rapidement.

❧❦

BROCHETTES DE POULET
20 brochettes

4 poitrines de poulet désossées

Marinade
250 ml (1 tasse) de crème sure
Curry en poudre, au goût
Sel et poivre
30 ml (2 c. à soupe) d'huile d'olive

Couper sur la longueur les poitrines de poulet pour obtenir 20 languettes. Dans un plat creux, mélanger ensemble les ingrédients de la marinade et y mettre les languettes de poulet à mariner environ 1 h. Couper en 2 les brochettes en bois et les faire tremper dans l'eau au moins 15 min. Enfiler chaque languette de poulet sur 1 brochette. Placer dans le haut du four sous le gril et dorer 3 à 4 min de chaque côté ou jusqu'à ce que la chair soit cuite.

BROCHETTES DE PORC
20 petites brochettes

500 g (1 lb) de porc

Marinade
30 ml (2 c. à soupe) de gingembre frais émincé
125 ml (1/2 tasse) d'huile de canola
15 ml (1 c. à soupe) de vinaigre de vin
1 gousse d'ail écrasée
Sel et poivre

Enlever toute trace visible de gras de la viande. Couper en petites bouchées. Dans un plat creux, mélanger ensemble les ingrédients de la marinade et y mettre la viande à mariner environ 1 h. Couper en 2 les brochettes en bois et les faire tremper dans l'eau au moins 15 min. Enfiler les morceaux de porc sur les brochettes. Placer dans le haut du four sous le gril et dorer 4 à 6 min, en retournant une fois, ou jusqu'à ce que la chair soit cuite.

❧║❧

BOULETTES POUR CARNIVORES
Environ 25 boulettes

500 g (1 lb) de dinde ou de poulet cru haché
1 œuf
30 ml (2 c. à soupe) d'oignon finement haché
1 gousse d'ail écrasée
15 ml (1 c. à soupe) de son de blé

15 ml (1 c. à soupe) de sauce soya
Moutarde de Dijon, au goût

Dans un bol, mélanger ensemble tous les ingrédients et façonner des petites boulettes. Les placer sur une plaque antiadhésive et cuire au four à 190 °C (375 °F) 5 à 6 min ou jusqu'à ce que les boulettes soient cuites. La viande ne doit pas être rosée à l'intérieur. Piquer chaque boulette d'un cure-dents et servir avec une salsa (page 136).

Variante : Toutes les viandes hachées conviennent (bœuf, agneau, porc, etc.) et chacun peut utiliser les assaisonnements de son cru. Modifier le temps de cuisson en fonction de chaque viande.

⇥||⇤

TOFU À GRIGNOTER
Environ 20 tranches

1 paquet de 454 g de tofu ferme

Marinade
250 ml (1 tasse) d'huile de canola
45 ml (3 c. à soupe) de sauce tamari ou de sauce soya
5 ml (1 c. à thé) de gingembre frais râpé
2 gousses d'ail émincées

Tailler des tranches fines dans le morceau de tofu. Mélanger ensemble les ingrédients de la marinade et y mettre le tofu à mariner au moins 30 min. Retourner les tranches de tofu, si nécessaire, afin que les 2 côtés soient bien imprégnés. Égoutter les tranches de tofu et les disposer sur une plaque antiadhésive. Cuire au four à 180 °C (350 °F) 10 min de chaque côté.

CHAMPIGNONS FARCIS AUX ESCARGOTS
12 bouchées

12 champignons de Paris
12 escargots
30 ml (2 c. à soupe) d'huile de canola ou d'olive
30 ml (2 c. à soupe) de beurre
1 gousse d'ail écrasée
Mozzarella râpée, au goût

Laver et essuyer les champignons soigneusement. Couper les queues. Disposer les champignons, le côté bombé au-dessus, sur une plaque antiadhésive et mettre au four à 190 °C (375 °F) 8 min. Pendant ce temps, réchauffer, à feu doux, les escargots dans l'huile, le beurre et l'ail. Déposer un escargot dans chaque champignon et parsemer de fromage râpé. Mettre dans le haut du four sous le gril pour dorer légèrement. Servir chaud.

LES ENTRÉES

L'entrée est une bonne occasion d'augmenter notre consommation de légumes. Nous les apprêtons de diverses façons : salades mélangées, légumes cuits en vinaigrette, aspics… Une variété de mets infinie peuvent nous mettre en appétit : poissons fumés, escargots, fruits de mer, carpaccio de bœuf ou de saumon, fromage de chèvre chaud sur laitue, tomates et fromage bocconcini, œufs farcis, etc. Voici quelques suggestions.

ŒUFS EN GELÉE
6 portions

1 l (4 tasses) d'eau
80 ml (1/3 tasse) de vinaigre blanc
6 œufs
Herbe hachée (persil, estragon ou ciboulette)
1 tranche de jambon mince en 6 morceaux
250 ml (1 tasse) d'eau
125 ml (1/2 tasse) de porto
1 sachet de gélatine

Faire bouillir l'eau et le vinaigre dans une grande casserole. Quand l'eau bout, baisser le feu jusqu'à ce qu'il n'y ait qu'un petit frémissement. Casser 1 œuf à la fois au-dessus d'un petit bol et le glisser doucement dans l'eau. Procéder rapidement avec les autres œufs. Cuire 3 min. Les retirer minutieusement de l'eau et les égoutter sur un papier absorbant. Déposer au fond de 6 moules indi-viduels l'herbe choisie et un morceau de jambon. Mé-langer ensemble l'eau et le porto et y diluer la gélatine. En verser la moitié dans les moules et déposer dans chacun un œuf. Remplir avec le reste de gélatine diluée et mettre au réfrigérateur quelques heures, jusqu'à ce que les aspics soient pris.

Note : Les aspics peuvent être préparés la veille et faire partie d'un buffet ou d'une boîte à lunch avec une salade.

⊰⫴⊱

BOULETTES DE BLEU SUR LAITUE
6 portions

250 ml (1 tasse) de fromage bleu émietté
80 ml (1/3 tasse) de fromage à la crème léger
200 ml (3/4 tasse) de noix de Grenoble
Laitue déchiquetée
1 pomme en tranches

Vinaigrette
Jus de pomme non sucré
Vinaigre de cidre
Huile d'olive ou de noix
Une pincée de fructose
Sel et poivre

Préparer la vinaigrette en mélangeant ensemble le jus de pomme, le vinaigre et l'huile en quantités égales. Ajouter une pincée de fructose, assaisonner et réserver. Émietter le fromage bleu et l'incorporer au fromage à la crème. Les proportions de l'un et l'autre varient selon votre goût pour le fromage bleu. Mettre dans une assiette une bonne quantité de noix moulues. Façonner 18 boulettes et les rouler dans les noix. Laisser reposer sur le comptoir jusqu'au moment de servir. Pour une entrée, couvrir chaque assiette de laitue déchiquetée et y déposer 3 boulettes de fromage. Tremper les pommes dans la vinaigrette et les disposer joliment dans chaque assiette. Ces boulettes se servent aussi en amuse-gueules.

❖

SAUMON DEUX TONS

Saumon frais

Saumon fumé en fines lamelles

Huile de noix ou d'olive

Jus de citron ou de lime

Câpres

Gros sel

Poivre

Découper de fines lamelles dans les deux sortes de saumon. Mettre de côté les moins beaux morceaux pour la garniture. Disposer sur la moitié de chaque assiette, d'un côté le saumon frais et, de l'autre, le saumon fumé. Broyer au robot culinaire ou au mélangeur les morceaux de saumon mis de côté avec un peu d'huile et de jus de citron. Garnir le centre de l'assiette de cette purée et parsemer de câpres. Arroser d'un filet d'huile les saumons et saupoudrer de gros sel et de poivre fraîchement moulu.

Variante : Vous pouvez remplacer le saumon par du thon, un peu plus coûteux mais également très bon. Il faut s'assurer que le poisson est très frais.

⚔

PAMPLEMOUSSES FARCIS
4 portions

2 gros pamplemousses roses
8 grosses crevettes cuites
1 avocat
30 ml (2 c. à soupe) de jus de citron
Feuilles de laitue
12 petites olives noires

Couper les pamplemousses en 2 et en retirer délicatement la pulpe. Réserver les moitiés de pamplemousse évidées. Mettre de côté la pulpe obtenue en ayant pris soin d'enlever la membrane amère de l'écorce qui aurait pu y adhérer. Couper les crevettes en 2 sur la longueur. Couper la chair de l'avocat en petits morceaux et, rapidement, l'asperger du jus de citron afin d'éviter qu'elle ne noircisse. Déposer les morceaux de pamplemousse et d'avocat et les crevettes dans les demi-pamplemousses. Couvrir de laitue le fond de 4 assiettes et y placer les demi-pamplemousses. Garnir chaque portion de trois olives noires. Conserver au frais jusqu'au moment de servir.

LES SOUPES
ET LES POTAGES

Quoi de plus invitant que le fumet d'une bonne soupe maison qui nous rappelle celle que notre mère préparait avec amour… Les recettes traditionnelles devront subir une légère cure de rajeunissement, mais elles n'en garderont pas moins leur saveur! Par exemple, la soupe aux pois sera allégée de son «p'tit lard», auquel on substituera de l'huile d'olive. La poignée de riz ou de pâtes qu'on ajoutait au bouillon pourra avantageusement être remplacée par de l'orge mondé, du riz sauvage, des lentilles. Pommes de terre, navets et carottes seront systématiquement éliminés.

Le bouillon de base

Il est toujours utile d'avoir sous la main un bouillon de légumes, de bœuf, de poulet ou un fumet de poisson pour la préparation d'une soupe. C'est une bonne idée de conserver la carcasse des volailles au congélateur pour le moment où on peut consacrer un peu de temps à la préparation d'un bouillon. Les restes de légumes peuvent aussi être congelés et ajoutés au bouillon. Le principe de base est fort simple : mettre dans une grande marmite remplie d'eau les os, des branches de céleri avec les feuilles, de l'oignon, des queues de poireaux, un reste de légumes, puis y ajouter les assaisonnements qui ont notre préférence (feuille de laurier, thym, sauge, sel, poivre, etc.). Une fois que l'eau bout, réduire le feu et laisser mijoter pendant au moins 1 h (préférablement 2) à couvert. Retirer la marmite du feu et filtrer le bouillon pour en retirer les condiments. Laisser reposer au réfrigérateur pendant quelques heures ou toute la nuit et éliminer la couche de gras figé sur le dessus. Le bouillon est alors prêt à servir ou à être congelé.

Le bouillon de poulet commercial en cubes ou en conserve peut être un substitut valable. Cependant, il faut vérifier les ingrédients qui le composent et, si le sucre est de la liste, il faut opter pour une autre marque. Le bouillon dilué avec de l'eau aromatise l'eau de cuisson des lentilles, des haricots secs, de l'orge et du quinoa. Un peu de bouillon rehausse la saveur des légumes cuits à l'étuvée. Par exemple, pour le brocoli, faire revenir de l'oignon avec un peu d'huile d'olive dans une petite casserole. Couvrir le fond de bouillon de poulet et mettre les bouquets de brocoli. À couvert, laisser mijoter au plus 5 min. Aussi rapide que la cuisson au bain-marie, cette méthode a l'avantage de donner un peu plus de goût aux légumes.

POTAGE DE LENTILLES AUX ANCHOIS
4 portions

30 ml (2 c. à soupe) d'huile d'olive
2 gousses d'ail hachées
1/2 poivron rouge en dés

1/2 **oignon finement haché**
250 ml (1 tasse) de lentilles vertes non cuites
1 1/2 l (6 tasses) d'eau
1 feuille de laurier, thym et persil
1 boîte de 50 g d'anchois en morceaux

Dans une casserole, chauffer l'huile et faire revenir les légumes 2 min. Ajouter les lentilles préalablement nettoyées et rincées, l'eau, la feuille de laurier et les herbes. Amener à ébullition et laisser mijoter, à feu moyen-doux, 35 min avant d'ajouter les anchois. Rectifier l'assaisonnement et poursuivre la cuisson 5 min ou jusqu'à ce que les lentilles soient à peine tendres.

Note : Les anchois constituent une source d'oméga 3 intéressante en plus de donner une saveur différente à cette soupe.

⊰⊱

SOUPE INDOCHINOISE AUX CREVETTES
2 portions

15 ml (1 c. à soupe) d'huile d'olive
1/4 **de poivron rouge en fines lamelles**
1 branche de céleri en tronçons
5 ml (1 c. à thé) de gingembre frais émincé
250 ml (1 tasse) de bouillon de poulet maison dégraissé
250 ml (1 tasse) d'eau
45 ml (3 c. à soupe) de sauce soya
30 ml (2 c. à soupe) de vinaigre de riz

15 ml (1 c. à soupe) de sauce de poisson Nuoc Mam
Une poignée de vermicelles de riz
10 grosses crevettes cuites
Quelques feuilles d'épinards effilochées
Oignons verts émincés
Tabasco, au goût

Dans une casserole, chauffer l'huile et faire revenir le poivron, le céleri et le gingembre pour les attendrir. Ajouter le bouillon, l'eau, la sauce soya, le vinaigre de riz et la sauce Nuoc Mam et porter à ébullition. Pendant ce temps, ébouillanter les vermicelles de riz 3 min, les égoutter et les mettre dans un très large bol à soupe. Y déposer les crevettes coupées en 2 dans le sens de la longueur et les épinards avant de verser le liquide bouillant. Garnir d'oignons verts et de Tabasco, puis servir.

Note : La sauce Nuoc Mam se vend dans les épiceries asiatiques et, de plus en plus, dans les grandes surfaces.

Variante : On peut remplacer les crevettes par un reste de poulet, des morceaux de tofu, du crabe, des pétoncles miniatures, etc.

⟻⟺

BASE DE SOUPE AUX LÉGUMES

30 ml (2 c. à soupe) d'huile d'olive
1 oignon haché
2 branches de céleri haché

200 ml (3/4 tasse) **de haricots verts ou jaunes en morceaux**

1/2 poivron vert, jaune ou rouge en cubes

750 ml (3 tasses) **de bouillon de poulet ou de légumes**

1 boîte de 540 ml de tomates

Basilic, thym, persil, sel et poivre, au goût

Dans une casserole, chauffer l'huile et faire revenir les légumes. Ajouter le bouillon, les tomates, les assaisonnements et laisser mijoter environ 30 min. Les légumes doivent être encore croquants sous la dent.

Variantes : Pour une soupe plus consistante, 5 min avant la fin de la cuisson, ajouter de l'orge mondé déjà cuit ou des légumineuses cuites, du tofu ou un reste de poulet, de bœuf.

◄|||►

CRÈME DE COURGETTES
4 portions

30 ml (2 c. à soupe) **d'huile d'olive**

1/2 oignon émincé

5 courgettes en tranches

1 boîte de 284 ml de bouillon de poulet

Crème 15 %

Sel et poivre

Dans une casserole, chauffer l'huile et faire revenir l'oignon et les courgettes jusqu'à ce qu'ils soient tendres. Verser le bouillon, réchauffer 1 min et retirer du feu.

Passer au mélangeur pour obtenir une purée lisse. Ajouter de la crème jusqu'à l'obtention de la consistance désirée. Assaisonner, réchauffer et servir.

⊰❈⊱

GASPACHO RAPIDO
4 portions

15 ml (1 c. à soupe) d'huile d'olive

1 oignon haché

2 gousses d'ail émincées

1 boîte de 796 ml de tomates

3 gouttes de Tabasco

5 ml (1 c. à thé) de sauce Worcestershire

15 ml (1 c. à soupe) de vinaigre balsamique

1/2 concombre épépiné en morceaux

Poivre et sel

1/2 poivron jaune en dés

1/2 poivron vert en dés

1 branche de céleri en dés

2 oignons verts hachés

1 yogourt nature de 175 g

Dans une casserole, chauffer l'huile et faire revenir l'oignon à feu moyen jusqu'à ce qu'il soit transparent. Ajouter l'ail et poursuivre la cuisson 1 min de plus. Broyer au mélangeur avec les tomates jusqu'à l'obtention d'une purée homogène. Ajouter les sauces Tabasco et Worcestershire ainsi que le vinaigre et le concombre. Saler et poivrer. Broyer de nouveau. Mettre au réfrigérateur. Pendant ce temps, préparer la garniture de légumes. Placer dans des petits bols les dés de poivrons, de céleri et d'oignons verts. Au moment de servir, sortir du réfrigérateur le gaspacho, verser dans des bols à soupe et déposer une cuillerée de yogourt au centre. Chacun pourra garnir ce potage froid des condiments offerts.

⊰⊱

POTAGE DE DANIELLE AUX POIVRONS JAUNES
4 portions

30 ml (2 c. à soupe) d'huile d'olive
1 oignon haché
2 gousses d'ail émincées
30 ml (2 c. à soupe) de câpres
Une pincée de piments broyés
4 poivrons jaunes en dés
500 ml (2 tasses) de bouillon de poulet ou de bœuf maigre
Sel et poivre
Crème sure, au goût

Dans une casserole, chauffer l'huile et faire revenir, à feu doux, l'oignon et l'ail avec les câpres et le piment broyé pendant 5 min. Ajouter les poivrons et le bouillon et laisser mijoter 30 min. Passer au mélangeur ou au robot culinaire pour obtenir une purée homogène. Réchauffer, assaisonner et servir. Ajouter un peu de crème sure au centre de chaque portion.

⊰⊱

VELOUTÉ DE LÉGUMES VERTS

4 portions

250 ml (1 tasse) de bouillon de poulet maigre
1 poireau en tranches
1 sac de 300 g d'épinards lavés et équeutés
1 boîte de 341 ml d'asperges
30 ml (2 c. à soupe) de beurre
250 ml (1 tasse) de crème 10 %
Sel et poivre
Persil et ciboulette hachés pour la garniture

Amener à ébullition le bouillon de poulet et y ajouter le poireau. Couvrir et laisser mijoter 3 à 4 min avant d'ajouter les épinards. Poursuivre la cuisson 2 min de plus et ajouter les asperges et le beurre. Passer au mélangeur pour obtenir une purée homogène. Remettre dans la casserole, ajouter la crème, assaisonner et réchauffer doucement. Saupoudrer de persil et de ciboulette et servir.

LES LÉGUMES

RATATOUILLE DES GENS PRESSÉS
6 portions

60 ml (4 c. à soupe) d'huile d'olive

1 oignon émincé

1 poivron vert en cubes

1 poivron rouge en cubes

4 petites courgettes en cubes

1 grosse aubergine en cubes

3 gousses d'ail émincées

1 boîte de 796 ml de tomates en dés

15 ml (1 c. à soupe) d'herbes de Provence

Sel et poivre

Dans une cocotte au fond épais, chauffer l'huile et faire sauter, à feu moyen, les oignons jusqu'à ce qu'ils soient transparents. Mettre les poivrons et poursuivre la cuisson 3 à 4 min avant d'ajouter les courgettes, l'aubergine et l'ail. Cuire encore 3 min, en remuant de temps en temps. Ajouter les tomates et les herbes de Provence. Saler et poivrer puis laisser mijoter, à couvert, jusqu'à ce que les légumes soient à peine tendres.

Note : Réchauffée, cette ratatouille a tout aussi bon goût !

⊸╫⊷

POIVRONS FARCIS
8 portions d'accompagnement

4 poivrons rouges, verts ou jaunes
1 paquet de 200 g de vermicelles de soya
ou de haricots mungo
15 ml (1 c. à soupe) d'huile de canola
1 gousse d'ail écrasée
30 ml (2 c. à soupe) d'arachides finement hachées
1/2 concombre épépiné et râpé
15 ml (1 c. à soupe) de sauce soya
5 ml (1 c. à thé) de wasabi (raifort japonais) en poudre
Graines de sésame grillées ou pistaches moulues

Laver les poivrons et les couper en 2 dans le sens de la longueur sans les équeuter. Enlever les graines. Placer les demi-poivrons sur une plaque antiadhésive et couvrir de papier aluminium. Cuire au four à 180 °C (350 °F) 15 min. Pendant ce temps, dans un grand bol, ébouillanter les vermicelles. Laissez reposer 5 min et égoutter. Couper les vermicelles finement à l'aide de deux couteaux. Dans une poêle, chauffer l'huile et faire revenir, à feu moyen, l'ail, les arachides et le concombre 2 à 3 min. Ajouter les vermicelles, les réchauffer et, en remuant, incorporer la sauce soya et le wasabi. Sortir les poivrons du four et les farcir de cette préparation. Parsemer de graines de sésame ou de pistaches moulues.

Note : Ces poivrons sont aussi excellents froids. En préparer un peu plus pour la boîte à lunch du lendemain.

❦

ÉPINARDS AU MICRO-ONDES

4 portions

1 sac de 300 g d'épinards
30 ml (2 c. à soupe) d'amandes hachées ou de pignons
30 ml (2 c. à soupe) d'huile d'olive
30 ml (2 c. à soupe) d'oignon finement haché
Une pincée de muscade
Quelques gouttes de vinaigre balsamique
Sel

Rincer les épinards, les équeuter et les essorer. Placer dans un plat allant au micro-ondes tous les ingrédients et cuire, à puissance maximale, 3 min.

Accompagnement : Servir avec n'importe quelle viande.

❧❦

LES « FRENCH » CHICHES !

2 gousses d'ail
60 ml (1/4 tasse) d'huile d'olive
500 g (1 lb) de pois chiches non cuits
Sel à l'oignon
Paprika

Écraser les gousses d'ail d'un coup de lame de couteau. Dans un grand bol, verser l'huile d'olive sur les gousses d'ail et mettre de côté. Dans une grande casserole, faire bouillir de l'eau, ajouter les pois chiches et laisser bouillir 3 à 4 min. Retirer la casserole du feu et laisser reposer. Après 1 h, égoutter les pois chiches et les assécher. Ôter les gousses d'ail de l'huile et ajouter les pois chiches dans le bol. Bien les enrober de l'huile parfumée avant de les étaler en une seule couche sur une plaque antiadhésive. Saupoudrer de sel à l'oignon et de paprika, et laisser cuire au four à 180 °C (350 °F) 40 min.

Notes :

– Ces pois chiches croustillants remplacent avantageusement les « patates frites » dans l'assiette des enfants.

– Ils se servent également à l'heure de la collation ou de l'apéro.

– Les « french » chiches se conservent au réfrigérateur quelques jours. Cependant, ils perdent un peu de leur croustillant.

– Moulus au mélangeur, on peut s'en servir comme chapelure pour enrober des croquettes de poulet que l'on fait cuire au four.

⊰≫⊱

LES SALADES

Le principe de la salade tiède est tout simple : on couvre les assiettes de laitue effilochée sur laquelle on dépose une viande, un poisson ou des fruits de mer sautés à la poêle avec quelques aromates. Une grande variété d'aliments s'apprêtent de cette façon : les foies de volaille sont particulièrement prisés, des morceaux de fromage fondant ou du tofu mariné et grillé. Quelques légumes crus garniront l'assiette.

SALADE TIÈDE DE FOIES DE POULET

2 portions

30 ml (2 c. à soupe) d'huile d'olive
6 foies de poulet parés
30 ml (2 c. à soupe) d'oignon finement haché
10 ml (2 c. à thé) de vinaigre de vin

Dans une poêle antiadhésive, chauffer un peu d'huile et faire sauter les foies de poulet et l'oignon 3 à 4 min ou jusqu'à ce que le centre des foies soit cuit mais encore rosé. Ajouter quelques gouttes de vinaigre de vin pour déglacer et déposer sur un nid de laitue.

Servir avec la vinaigrette de tous les jours.

⬥II⬥

SALADE TIÈDE DE CREVETTES ET PÉTONCLES
2 portions

250 ml (1 tasse) de petites crevettes fraîches ou congelées

250 ml (1 tasse) de pétoncles miniatures frais ou congelés

30 ml (2 c. à soupe) d'huile d'olive

Paprika

Sel et poivre

Laitue (romaine, frisée ou iceberg) effilochée

Légumes variés : oignons verts, tomates, germes de soya, poivrons, etc.

Huile et vinaigre ou vinaigrette de tous les jours

Préparer, à la dernière minute, une salade de fruits de mer est facile lorsque l'on a fait provision au congélateur de crevettes et de pétoncles. Au besoin, les dégeler lentement au micro-ondes. Les essorer avec un essuie-tout pour extraire l'excédent d'eau et bien les assécher. Dans une poêle, chauffer un peu d'huile, saupoudrer les fruits de mer de paprika et les faire sauter rapidement jusqu'à ce qu'ils soient tout juste cuits. Saler et poivrer. Couvrir les assiettes de laitue, mettre au centre les fruits de mer et garnir de légumes. Arroser simplement d'huile et de vinaigre ou de votre vinaigrette préférée.

ᐅᕽᐸ

SALADE DE LÉGUMES FRAIS
4 portions

2 fenouils ou 4 carottes ou 2 courgettes
60 ml (1/4 tasse) de noix de Grenoble
15 ml (1 c. à soupe) de jus de citron
60 ml (1/4 tasse) d'huile d'olive
Sel et poivre

Couper le légume choisi en fines lamelles et mettre dans un saladier. Hacher grossièrement les noix et en saupoudrer les légumes. Mélanger le jus de citron, l'huile, le sel et le poivre, verser sur les légumes et bien mélanger. Se sert en accompagnement ou en entrée.

ᐅᕽᐸ

SALADE DE LÉGUMINEUSES VITE FAITE
2 portions

1 boîte de 540 ml de légumineuses mélangées
ou la même quantité de légumineuses cuites
et conservées au congélateur
1/2 poivron vert en dés
1/4 d'oignon finement haché
2 branches de céleri en dés

2 tomates italiennes en dés
1 gousse d'ail écrasée
60 ml (4 c. à soupe) d'huile de canola
Sel et poivre

Rincer et égoutter les légumineuses. Mélanger avec le reste des ingrédients et servir sur de la laitue effilochée.

⊰⊱

SALADE DE POULET
2 portions

2 poitrines de poulet
30 ml (2 c. à soupe) d'huile d'olive
30 ml (2 c. à soupe) ou plus de moutarde de Dijon
200 ml (3/4 tasse) de graines de sésame entières rôties
ou de pistaches ou d'amandes moulues
2 endives séparées en feuilles
Laitues mélangées
2 tomates italiennes en tranches épaisses
Sel et poivre
2 oignons verts hachés
Vinaigrette aux agrumes (page 133)

Tailler le poulet pour obtenir 10 languettes. Dans une poêle, chauffer l'huile et faire revenir le poulet. Mettre dans une assiette la moutarde et dans une autre, les noix. Lorsque le poulet est cuit, retirer un à un les morceaux et les tourner d'abord dans la moutarde, puis dans les graines ou les noix avant de les déposer sur une feuille d'endive.

Couvrir de laitue une grande assiette de service. Disposer en étoile, en alternance, les feuilles d'endive et les rondelles de tomates. Saler, poivrer et parsemer d'oignons verts. Arroser de vinaigrette.

⊰⊱

SALADE D'ORIENT
2 portions

2 portions de vermicelles de riz

1/2 concombre en fines tranches

250 ml (1 tasse) de germes de soya

2 carottes crues râpées

1/2 poivron rouge en dés

5 ml (1 c. à thé) de gingembre frais râpé

Jus d'un demi-citron

15 ml (1 c. à soupe) de sauce soya

Coriandre hachée, au goût

2 oignons verts hachés

Arachides concassées

Vinaigrette vietnamienne (page 134)

Ébouillanter les vermicelles et laisser reposer 5 min. Rincer et égoutter les vermicelles. Les mettre dans un saladier et y mélanger le reste des ingrédients, à l'exception des oignons verts et des arachides qui seront parsemés sur le dessus de la salade. Arroser de vinaigrette vietnamienne.

Accompagnements : – Cette salade se marie bien avec le saumon froid.

— On peut aussi augmenter l'apport de protéines en y ajoutant quelques crevettes ou pétoncles miniatures ou des cubes de tofu.

❧❦

SALADE DE RIZ
4 portions

250 ml (1 tasse) de riz sauvage cuit
250 ml (1 tasse) de riz basmati cuit
1 boîte de 120 g de thon en morceaux égoutté
1/2 poivron vert ou jaune en fines lamelles
5 tomates cerises en 2
30 ml (2 c. à soupe) de câpres
12 olives noires dénoyautées, en dés
60 ml (4 c. à soupe) d'huile d'olive
30 ml (2 c. à soupe) de vinaigre de riz
30 ml (2 c. à soupe) de jus de lime
Sel et poivre
Laitue
1 pomme en morceaux

Dans un grand saladier, mélanger ensemble tous les ingrédients, à l'exception de la laitue et des pommes. Répartir dans 4 assiettes couvertes de laitue et garnir des morceaux de pomme.

❧❦

SALADE DE LENTILLES

2 portions

250 ml (1 tasse) de lentilles cuites
125 ml (1/2 tasse) de riz sauvage cuit
1/4 d'oignon finement haché
1/2 courgette en dés
1 branche de céleri en dés
1/4 de poivron vert ou rouge en dés
15 ml (1 c. à soupe) de moutarde de Dijon
30 ml (2 c. à soupe) d'huile d'olive
10 ml (2 c. à thé) de jus de citron ou de lime
Fines herbes hachées (persil, origan, basilic, etc.)
Sel et poivre

Mélanger ensemble tous les ingrédients et servir bien frais.

LES METS VÉGÉTARIENS

TERRINE DE LENTILLES

6 portions

375 ml (1 1/2 tasse) de lentilles cuites ou d'orge mondé

**250 ml (1 tasse) de noix finement hachées
(pistaches, amandes, noisettes,
noix de Grenoble ou graines de tournesol)**

1 petit oignon finement haché

3 œufs battus

**125 ml (1/2 tasse) de fromage râpé
(gruyère, jarlsberg, emmenthal ou parmesan)**

1/2 poivron rouge, vert ou jaune en dés

30 ml (2 c. à soupe) de sauce soya

Poivre, au goût

Mélanger ensemble tous les ingrédients dans un grand bol. Mettre dans un moule à pain antiadhésif. Cuire au four à 180 °C (350 °F) 30 min. Laisser reposer 15 min avant de démouler la terrine et de la tailler en tranches.

Notes :

– Voici un bon substitut du pain de viande traditionnel sur le plan nutritionnel. Accompagnée d'une sauce tomate maison ou du commerce et d'un légume vert, cette terrine constitue une importante source de protéines et une intéressante combinaison de glucides à index glycémique bas et de lipides.

– En plus, cette recette vous laisse beaucoup de liberté dans le choix des ingrédients.

– Cette savoureuse terrine de lentilles a aussi sa place, froide, avec une salade, dans votre boîte à lunch.

❦

CHILI SIN CARNE
4 portions

30 ml (2 c. à soupe) d'huile de canola ou d'olive

1 oignon haché

4 branches de céleri en dés

1 poivron en cubes

2 gousses d'ail émincées

2 boîtes de 213 ml de sauce tomate

1 boîte de 156 ml de pâte de tomates

1 boîte de 796 ml de tomates entières

10 ml (2 c. à thé) de chili en poudre

2 ml (1/2 c. à thé) de cayenne

15 ml (1 c. à soupe) d'origan

15 ml (1 c. à soupe) de basilic

Sel et poivre

2 boîtes de 540 ml de haricots rouges rincés et égouttés

Dans une casserole, chauffer l'huile et faire revenir l'oignon, le céleri, le poivron et l'ail, 3 à 4 min, jusqu'à ce qu'ils soient tendres. Ajouter la sauce tomate, la pâte de tomates, les tomates et les assaisonnements. Laisser mijoter 10 min et ajouter les haricots rouges. Poursuivre la cuisson encore 10 min et servir.

❧‖❦

GALETTES DE SARRASIN
4 grandes galettes

250 ml (1 tasse) de lait écrémé

1 œuf

5 ml (1 c. à thé) d'huile

250 ml (1 tasse) de farine de sarrasin

Sel

Dans un bol, fouetter le lait, l'œuf et l'huile avant d'ajouter la farine et le sel. Laisser reposer le mélange quelques minutes avant d'utiliser. Étendre un quart du mélange en une couche mince dans une grande poêle antiadhésive et cuire à feu moyen. Retourner une fois pendant la cuisson.

Accompagnement : Servir avec du fromage cottage et des fruits frais.

Variante : Parfumer la préparation de cannelle.

⊰⊫⊱

CASSEROLE DE TOFU MINUTE
4 portions

30 ml (2 c. à soupe) d'huile d'olive
1 oignon émincé
1 poivron vert émincé
2 branches de céleri en dés
125 ml (1/2 tasse) de bouquets de chou-fleur
2 gousses d'ail hachées
1 paquet de 350 g de tofu ferme en dés
15 ml (1 c. à soupe) de sauce soya
1 boîte de 796 ml de tomates italiennes
5 ml (1 c. à thé) de vinaigre balsamique
Olives noires dénoyautées en tranches (facultatif)
5 ml (1 c. à thé) de basilic
15 ml (1 c. à soupe) de persil haché
Poivre

Dans une casserole, chauffer l'huile et faire revenir l'oignon, le poivron, le céleri, le chou-fleur et l'ail jusqu'à ce qu'ils soient tendres. Ajouter le reste des ingrédients et laisser mijoter 30 min. Servir tel quel.

⊰⊫⊱

COURGETTES FARCIES
4 portions

4 grosses courgettes
30 ml (2 c. à soupe) d'huile
1 petit oignon émincé
2 gousses d'ail écrasées
3 œufs
125 ml (1/2 tasse) de fromage feta émietté
125 ml (1/2 tasse) de parmesan râpé
Sel et poivre
Paprika

Couper les courgettes en 2 sur la longueur. Retirer la chair tout en conservant une bonne épaisseur des parois pour pouvoir les farcir. Dans un poêlon, chauffer l'huile et faire revenir la chair des courgettes hachée, l'oignon et l'ail jusqu'à ce qu'ils soient tendres. Retirer du feu. Battre les œufs et les ajouter en même temps que les fromages. Bien mélanger, saler et poivrer. Farcir chacune des demi-courgettes de cette préparation et saupoudrer de paprika. Cuire au four à 180 °C (350 °F) 20 min.

Accompagnement : Servir à chacun 2 demi-courgettes farcies avec quelques feuilles de laitue et des tranches de tomate.

❦

PIZZATA IMPROVISATA
2 portions

2 pains pita de blé entier de 15 cm (6 po)
1 boîte de 213 ml de sauce tomate
Épices variées, au goût

Garniture, au choix : oignons, artichauts, poivrons, champignons, thon, câpres, etc.

Fromage gruyère ou parmesan râpé.

Badigeonner les pains de sauce tomate. Garnir des ingrédients choisis. Disposer les pains sur une plaque anti-adhésive et cuire au four à 200 °C (400 °F) 15 min. Avant de servir, placer dans le haut du four sous le gril jusqu'à ce que le fromage soit gratiné.

⊰⧽Ⅱ⧼⊱

TARTE À L'ORGE ET À L'AUBERGINE
4 portions

30 ml (2 c. à soupe) d'huile d'olive
1 oignon
1 boîte de 796 ml de tomates
Sel et poivre
2 petites aubergines en tranches
2 blancs d'œufs battus
500 ml (2 tasses) d'orge mondé cuit
110 g (4 oz) de gruyère râpé

Dans une poêle, chauffer l'huile et faire revenir l'oignon jusqu'à ce qu'il soit doré. Égoutter et écraser les tomates et les ajouter à l'oignon. Saler, poivrer et laisser cuire, à feu moyen, 5 min. Ajouter les aubergines et poursuivre la cuisson encore 15 min. Dans un bol, incorporer les blancs d'œufs à l'orge. Beurrer une assiette à tarte de 23 cm (9 po) et en couvrir le fond du mélange d'orge. Étaler au-dessus les aubergines aux tomates et garnir de gruyère râpé. Cuire au four à 160 °C (325 °F) 15 min. Servir chaud.

⊰⊱

ORGE PILAF

4 portions

45 ml (3 c. à soupe) d'huile d'olive

1 petit oignon haché

125 ml (1/2 tasse) d'orge mondé

500 ml (2 tasses) de bouillon de poulet maigre

1 gousse d'ail entière

1 feuille de laurier

2 clous de girofle entiers

Sel

Dans une casserole, chauffer l'huile et faire revenir l'oignon jusqu'à ce qu'il soit tendre. Ajouter l'orge, en remuant le temps de le réchauffer, puis le bouillon et les assaisonnements. Amener à ébullition, couvrir et laisser mijoter 50 min ou jusqu'à ce que l'orge soit à peine croquant. Retirer les clous de girofle, la gousse d'ail et la feuille de laurier. Soulever les grains avec une fourchette et servir en accompagnement.

⊰⊱

LES POISSONS

LOTTE EN SALADE

4 portions

4 gros médaillons de lotte

Sel et poivre

Laitues mélangées

1 poignée de germes de soya

4 champignons émincés

20 petites crevettes cuites

15 ml (1 c. à soupe) d'oignon finement haché

Pistaches moulues (facultatif)

Jus d'un citron ou vinaigrette aux agrumes (page 133)

Marinade

30 ml (2 c. à soupe) d'huile de noisette

Jus d'un demi-citron

15 ml (1 c. à soupe) de fines herbes hachées

Mélanger ensemble les ingrédients de la marinade dans un sac en plastique. Parer et tailler la lotte en médaillons. Mettre les médaillons dans le sac avec la marinade. Fermer hermétiquement en ayant pris le soin d'éliminer l'air. Après 1 h, retirer les médaillons et les cuire dans une poêle antiadhésive, des deux côtés, à feu doux, au moins 15 min. La chair de ce poisson demande un peu plus de cuisson que celle des autres poissons. Saler et poivrer. Répartir les laitues dans les assiettes, garnir de germes de soya, des champignons et des crevettes. Disposer au centre de chaque assiette les médaillons de lotte. Parsemer d'oignon et de pistaches. Arroser d'un peu de jus de citron frais ou de vinaigrette aux agrumes.

Variantes : Les crevettes peuvent être remplacées par des rondelles de calmars ou des moules. On peut aussi décorer de quelques quartiers de pamplemousse coupés à vif.

⊰)|(⊱

FILETS ROULÉS FACILES
4 portions

1 boîte de 796 ml de tomates

2 gousses d'ail écrasées

5 ml (1 c. à thé) de sauce Worcestershire

2 ml (1/2 c. à thé) de chili en poudre

3 ou 4 gouttes de Tabasco (facultatif)

60 ml (1/4 tasse) de vin blanc sec (facultatif)

1 poivron vert en lamelles

1 oignon en rondelles

250 ml (1 tasse) de bouquets de chou-fleur

5 ml (1 c. à thé) de basilic

Sel et poivre

4 filets de poisson blanc au choix

Placer tous les ingrédients, à l'exception du poisson, dans une casserole et amener à ébullition. Baisser le feu et laisser mijoter 10 min. Rouler les filets et les piquer avec un cure-dents. Plonger délicatement les rouleaux de poisson dans la préparation, couvrir et cuire environ 10 min ou jusqu'à ce que la chair soit opaque.

Accompagnement : Une salade de votre choix.

⊰⊱

TARTARE DE SAUMON
2 portions

250 ml (1 tasse) de saumon frais en morceaux
60 ml (1/4 tasse) de saumon fumé haché
30 ml (2 c. à soupe) d'huile d'olive
Sel et poivre
15 ml (1 c. à soupe) de persil haché
15 ml (1 c. à soupe) d'aneth haché
Jus de citron ou de lime

Garniture
30 ml (2 c. à soupe) d'oignon finement haché
Quelques grains de gros sel
Feuilles de laitue Boston
1 courgette en rondelles
Wasabi (raifort japonais)

Hacher les deux saumons finement à l'aide de deux couteaux bien aiguisés. Mettre dans un bol et incorporer le reste des ingrédients. Monter les assiettes individuelles en remplissant de tartare un emporte-pièce de la forme désirée (cœur, poisson, lune). Retirer l'emporte-pièce et parsemer d'oignon et de gros sel. Mettre quelques feuilles de laitue dans chaque assiette et y disposer les tranches de courgette. Déposer dans l'assiette une petite pyramide de wasabi. Garder les assiettes au réfrigérateur jusqu'au moment de servir. Pour déguster, tartiner un soupçon de wasabi sur une rondelle de courgette et y étaler un peu de tartare. Servir avec une portion de riz sauvage pour un repas léger.

❧❦❧

THON AU FOUR
4 portions

4 darnes de thon

Marinade
2 gousses d'ail écrasées
5 ml (1 c. à thé) d'estragon
Jus d'un citron
15 ml (1 c. à soupe) de vinaigre balsamique
250 ml (1 tasse) d'huile d'olive
Sel et poivre

Enlever les taches foncées du thon, le rincer et l'assécher. Dans un plat creux avec couvercle, mélanger les ingrédients de la marinade. Mettre à mariner le thon. Fermer hermétiquement et réfrigérer. Après 30 min, sortir du réfrigérateur et laisser mariner 30 min de plus sur le comptoir. Placer dans le haut du four sous le gril et cuire environ 3 min de chaque côté pour un thon bleu ou environ 5 min pour un thon à point. Vérifier la cuisson par une légère pression. Bleu : on sent un peu de résistance, et à point : la chair est plutôt ferme.

⸱⸱⸱

THON PROVENÇAL
2 portions

15 ml (1 c. à soupe) d'huile d'olive
1 oignon émincé
250 ml (1 tasse) de tomates en boîte légèrement égouttées
1 poivron rouge en dés
15 ml (1 c. à soupe) de persil haché
Sel et poivre
1 boîte de 120 g de thon émietté égoutté
60 ml (1/4 tasse) de pois verts non sucrés surgelés
Câpres, au goût
500 ml (2 tasses) d'orge mondé ou de lentilles cuits

Dans une poêle, chauffer l'huile et faire revenir l'oignon jusqu'à ce qu'il soit tendre. Ajouter les tomates, le poivron et le persil. Saler et poivrer. Laisser cuire, à feu doux, 10 min. Incorporer le thon et les pois verts et poursuivre la cuisson encore 10 min. Ajouter les câpres avant de servir sur de l'orge ou des lentilles préalablement réchauffés au micro-ondes.

Variante : On peut y ajouter quelques dés de tofu.

⸱⸱⸱

TILAPIA AU BLEU
2 portions

15 ml (1 c. à soupe) d'huile d'olive
2 filets de tilapia
125 ml (1/2 tasse) de vin blanc sec
ou de bouillon de poulet maigre
60 ml (1/4 tasse) de fromage bleu émietté

Dans une poêle antiadhésive, chauffer l'huile d'olive et faire dorer le tilapia, à feu moyen, 1 à 2 min de chaque côté. Verser le vin ou le bouillon et ajouter le fromage bleu. Laisser mijoter 5 min. Le fromage bleu doit être complètement fondu dans la sauce. Servir avec des légumes verts.

Note : Si le goût prononcé du fromage bleu ne vous est pas familier, réduire de moitié sa quantité et goûter avant d'en ajouter.

❦

TRUITE COIN-COIN
3 portions

1 truite entière d'environ 1 kg (2 lb)
Sel et poivre
45 ml (3 c. à soupe) de graisse de canard
1 citron en tranches fines

Allumer le barbecue à gaz à feu moyen. Vider, laver et parer la truite en coupant la tête, la queue et les nageoires. Saler, poivrer et tartiner de graisse de canard l'intérieur de la truite. Placer les rondelles de citron sur les flancs. L'envelopper dans un papier aluminium et cuire, à feu moyen, à couvert, 10 min de chaque côté.

Note : Servir avec des tranches d'aubergines grillées et une salade.

LES VIANDES ET LES VOLAILLES

La plupart des recettes de viande s'adaptent facilement à notre approche alimentaire et n'auront à subir que de légères modifications. Rôtis, grillades, bœuf aux légumes (sans pommes de terre), gigot d'agneau continueront de faire partie de vos menus. Cependant, les recettes contenant des farines blanches, du sucre, de la cassonade, de la fécule de maïs et autres produits hyperglycémiants seront éliminées. Renoncer à ces dernières est d'autant plus important que les viandes sont une source non négligeable de graisses saturées. Voici quelques recettes qui s'ajouteront à celles qui font partie de votre quotidien.

AUBERGINES FARCIES AU VEAU

2 portions

1 grosse aubergine

115 g (4 oz) de veau haché

2 œufs

60 ml (4 c. à soupe) de sauce tomate

2 gousses d'ail hachées

15 ml (1 c. à soupe) de persil haché

**15 ml (1 c. à soupe) de basilic haché
ou 5 ml (1 c. à thé) séché**

Sel et poivre
60 ml (4 c. à soupe) de parmesan râpé

Couper l'aubergine en 2 dans le sens de la longueur. Retirer la pulpe délicatement à l'aide d'une cuillère et la hacher. Mettre dans un bol et mélanger avec le reste des ingrédients, à l'exception du parmesan. Remplir les moitiés d'aubergine de cette farce et les disposer dans un plat huilé. Parsemer de parmesan. Cuire au four à 180 °C (350 °F) 45 min.

Accompagnement : Une salade verte complétera ce repas.

⊰⧉⊱

BURGER PORTOBELLO DE VO !
4 portions

4 champignons portobello
500 g (1 lb) de veau haché
30 ml (2 c. à soupe) d'huile d'olive
1 gros oignon tranché en rondelles minces
Feuilles de laitue
4 tranches minces de fromage Oka ou d'un autre fromage
2 tomates en tranches minces
Sel et poivre
Salsa (p. 136), au goût

Nettoyer les champignons et les couper en 2 pour obtenir des rondelles : la partie bombée et le dessous du portobello. Façonner 4 galettes de veau et les faire brunir dans une poêle avec l'huile. Pendant ce temps, mettre les 8 rondelles de champignons sur une plaque antiadhésive et placer dans le haut du four sous le gril 3 min de chaque côté. Lorsque la viande est cuite, retirer les galettes de la poêle, enlever l'excès de graisse et faire sauter, à feu moyen, les oignons jusqu'à ce qu'ils prennent une légère couleur dorée. Sur un lit de laitue, déposer la rondelle du dessous du portobello, étaler le quart des oignons et superposer une tranche de fromage, une galette de veau et le quart des tranches de tomates. Saler et poivrer avant de couvrir le burger de la partie bombée du portobello. Servir avec de la salsa.

Note : Ce n'est évidemment pas un burger que l'on prend dans ses mains pour le croquer à belles dents, mais c'est certainement la plus jolie façon de présenter une simple galette de veau et un bon prétexte pour l'entourer de légumes.

❧‖❧

LANGUETTES DE POULET AU FOUR
4 portions

4 poitrines de poulet
15 ml (1 c. à soupe) de moutarde de Dijon
1 œuf
30 ml (2 c. à soupe) de parmesan râpé
2 ml (1/2 c. à thé) de paprika
2 ml (1/2 c. à thé) de poudre d'oignon
15 ml (1 c. à soupe) de persil haché fin
30 ml (2 c. à soupe) d'arachides hachées
ou de graines de sésame
Sel et poivre

Tailler les poitrines de poulet en languettes. Dans un bol, fouetter la moutarde avec l'œuf. Préparer la chapelure en mélangeant ensemble le reste des ingrédients sur une assiette plate. Tremper d'abord les languettes de poulet dans le mélange de moutarde pour les enrober parfaitement. Puis les passer dans la chapelure avant de les déposer sur une plaque antiadhésive. Cuire au four à 220 °C (425 °F) 5 min, les retourner et poursuivre la cuisson 3 min de plus ou jusqu'à ce que le poulet ait perdu sa couleur rosée. Servir rapidement les languettes, accompagnées de légumes.

Variante : Tartiner les poitrines de poulet entières de moutarde de Dijon ou d'un mélange de moutarde aromatisée selon votre goût et remplacer la chapelure par du parmesan râpé. Déposer sur une plaque antiadhésive (on peut aussi vaporiser la plaque d'un enduit à base d'huile d'olive). Cuire au four à 200 °C (400 °F) 30 min.

⊰≫⊱

RAGOÛT DE PILONS DE POULET
6 portions

60 ml (4 c. à soupe) d'huile d'olive
620 g (1 1/2 lb) de pilons de poulet
6 branches de céleri en morceaux
1 à 2 brocolis (tiges seulement) en tranches
1/2 poivron vert en morceaux
1 oignon en dés
1 boîte de 796 ml de tomates
Basilic et origan, au goût

Sel et poivre
1 boîte de 284 ml de champignons entiers égouttés
(facultatif)

Dans une grande poêle, chauffer la moitié de l'huile et faire dorer légèrement les pilons de poulet de tous les côtés. Dans une grande casserole, chauffer le reste de l'huile et faire revenir le céleri, à feu moyen, 3 min. Ajouter le brocoli, le poivron et l'oignon. Laisser cuire, en remuant de temps en temps, 3 min. Ajouter les pilons de poulet, les tomates, les herbes, saler et poivrer. Laisser mijoter 30 min et ajouter les champignons 5 min avant la fin de la cuisson.

Note : On peut varier les légumes, mais c'est une bonne façon de passer les tiges de brocoli lorsqu'on a déjà utilisé les bouquets.

LES PÂTES

Nous ne mangeons que des pâtes longues, comme les spaghettis et les spaghettinis, car elles sont soumises à un procédé appelé pastification qui contribue à faire baisser l'index glycémique. Les macaronis au fromage et les lasagnes avec sauce à la viande sont bannis au profit de plats de pâtes avec sauces aux légumes sans les graisses saturées que les sauces traditionnelles contiennent habituellement.

Pour accompagner les pâtes, la section « Les sauces et les coulis » offre les recettes suivantes :

SPAGHETTIS AUX PETITS FRUITS DE MER RAPIDES
2 portions

2 portions de spaghettis
15 ml (1 c. à soupe) d'huile d'olive
30 ml (2 c. à soupe) de poivron rouge en dés

1/2 **courgette jaune en dés**

5 ml (1 c. à thé) **d'ail émincé**

2 **tomates italiennes en dés**

6 **olives noires hachées**

2 **boîtes de 142 g de palourdes égouttées**

125 ml (1/2 tasse) **de petites crevettes fraîches
ou décongelées**

1 **boîte de 213 ml de sauce tomate**

5 ml (1 c. à thé) **d'épices à l'italienne**

Sel

1 **tranche de tofu mariné (gingembre frais, ail, huile d'olive)
en morceaux (facultatif)**

Cuire les spaghettis à l'eau bouillante salée jusqu'à ce qu'ils soient *al dente*. Pendant ce temps, dans une casserole, chauffer l'huile et faire revenir rapidement le poivron, la courgette et l'ail. Ajouter les tomates, les olives, les palourdes égouttées, les crevettes et la sauce tomate. Assaisonner. Si désiré, mettre le tofu. Réchauffer avant de servir.

❧❦❧

SPAGHETTINIS AU THON
2 portions

2 **portions de spaghettinis**

10 **tranches de tomates séchées dans l'huile en morceaux**

30 ml (2 c. à soupe) **d'oignon finement haché**

125 ml (1/2 tasse) **de petits pois verts surgelés**

1 **boîte de 120 g de thon en morceaux égoutté**

30 ml (2 c. à soupe) de câpres
Huile d'olive
Sel et poivre

Faire cuire les pâtes à l'eau bouillante salée jusqu'à ce qu'elles soient *al dente*. Pendant ce temps, dans une poêle antiadhésive, à feu moyen, réchauffer les tomates séchées, l'oignon, les pois verts 3 min. Ajouter le thon et les câpres. Réchauffer et mélanger aux pâtes chaudes. Arroser d'un peu d'huile d'olive et assaisonner.

LES DESSERTS

Terminer les repas par un dessert est une habitude et non un besoin réel. Une fois que l'on a reconnu cela, il faut, petit à petit, essayer de perdre le goût du sucré. Il n'est pas souhaitable de remplacer systématiquement le sucre par un édulcorant ou un substitut. Comme il n'est pas question de se priver complètement, pour les occasions spéciales, il est bon de connaître quelques recettes pas trop compliquées et, surtout, délicieuses. À la maison, nos desserts préférés sont le yogourt (sans sucre), les fruits et les compotes que nous mangeons soit au milieu de la journée, soit durant la soirée. Souvent, nous remplaçons le dessert par un fromage.

Vous trouverez en magasin des desserts qui ne contiennent pas de sucre, comme les gelées (Jello), les compotes aux fruits et certains biscuits. Lire attentivement la liste des ingrédients avant de les déposer dans votre panier d'épicerie, car malheureusement l'appellation « sans sucre » n'inclut pas tous les mauvais glucides… ni les mauvaises graisses.

Notez que le fructose remplace avantageusement le sucre dans tous les desserts, car il a un index glycémique beaucoup plus bas. On peut substituer 160 ml (2/3 tasse) de fructose à 250 ml (1 tasse) de sucre, car le pouvoir sucrant du fructose est plus élevé.

Voici trois préparations pratiques qui pourront vous servir de pâte à tarte à l'occasion.

⊰⊱

PÂTE À TARTE AUX NOIX
1 croûte de 23 cm (9 po)

125 ml (1/2 tasse) de noisettes
125 ml (1/2 tasse) d'amandes
125 ml (1/2 tasse) de farine de blé entier moulue sur pierre
Sel
125 ml (1/2 tasse) de blancs d'œufs battus
30 ml (2 c. à soupe) d'huile d'olive

Moudre les noisettes et les amandes dans un moulin à café. Incorporer à la farine et au sel. Ajouter les blancs d'œufs battus. Bien mélanger. Huiler une assiette à tarte, la fariner et étendre la préparation délicatement avec une spatule. Cuire 15 min au four à 180 °C (350 °F) avant de mettre sous le gril 3 min ou jusqu'à ce que la croûte soit dorée. Refroidir et remplir d'une garniture.

Note : Garnir avec des fruits en gelée, une mousse non sucrée ou selon votre imagination !

❧❦❧

PÂTE À TARTE AUX FLOCONS D'AVOINE
1 croûte de 23 cm (9 po)

250 ml (1 tasse) de flocons d'avoine (gruau)
125 ml (1/2 tasse) de noix de Grenoble moulues
125 ml (1/2 tasse) d'amandes moulues
60 ml (4 c. à soupe) d'huile de sésame
125 ml (1/2 tasse) d'eau
60 ml (4 c. à soupe) de fructose
Sel

Mélanger tous les ingrédients. Huiler et fariner une assiette à tarte avant d'y étendre la préparation avec les doigts. Cuire au four à 180 °C (350 °F) 10 à 15 min ou jusqu'à ce que la croûte soit dorée.

Note : Garnir d'une mousse non sucrée, de fruits en morceaux ou d'une gelée.

❧❦❧

CROÛTE MONTIGNAC

1 croûte de 23 cm (9 po)

125 ml (1/2 tasse) de noisettes moulues
125 ml (1/2 tasse) d'amandes moulues
125 ml (1/2 tasse) de fructose
3 blancs d'œufs
30 ml (2 c. à soupe) de fructose

Mélanger ensemble les noisettes, les amandes et 125 ml (1/2 tasse) de fructose. Monter les blancs d'œufs en neige et ajouter 30 ml (2 c. à soupe) de fructose. Incorporer délicatement avec une spatule le mélange noisettes et amandes aux œufs jusqu'à l'obtention d'une préparation homogène. Étendre dans une assiette à tarte huilée et farinée. Mettre au four à 150 °C (300 °F) 20 min. Surveiller la cuisson afin que la croûte ne brunisse pas.

Notes :   — Nous aimons particulièrement cette recette de Michel Montignac. Elle sert de base aux tartes aux pommes, aux poires, aux fraises, etc. On peut aussi transformer la recette en d'excellents biscuits qui satisferont les plus gourmands !

— Afin d'éviter que les noisettes et les amandes entières ne rancissent, les conserver au congélateur. Il est bon de toujours en avoir sous la main. Pour

cette recette, elles sont moulues au moulin à café.

⭐

SOUFFLÉ CHOCOLATÉ AUX POMMES
4 portions

**250 ml (1 tasse) de blancs d'œufs Naturœuf®
ou 8 blancs d'œufs
10 ml (2 c. à thé) de fructose
10 ml (2 c. à thé) de beurre
100 g (3 1/2 oz) de chocolat à 70 % de cacao
10 ml (2 c. à thé) de fructose
250 ml (1 tasse) de compote de pommes non sucrée
Beurre et farine de blé entier ou cacao en poudre
pour fariner les moules**

Dans un grand bol en aluminium, monter les blancs
d'œufs en neige ferme. Ajouter 10 ml (2 c. à thé) de fructose et réserver. Faire fondre à feu doux le beurre et le
chocolat en morceaux sans cesser de remuer. Retirer du
feu dès que le chocolat a fondu et ajouter 10 ml (2 c. à thé)
de fructose et la compote de pommes. Mélanger parfaitement avant d'incorporer graduellement le mélange de
blancs d'œufs à l'aide d'une spatule. Déposer le mélange
dans 4 ramequins d'environ 13 cm (5 po) de diamètre
beurrés et farinés. Cuire au four à 180 °C (350 °F) 30 min.
Servir immédiatement.

Variantes : — On peut ajouter 125 ml (1/2
tasse) d'amandes moulues à la

préparation et l'étaler sur une plaque antiadhésive pour confectionner des biscuits délicieux. On réduira le temps de cuisson à environ 15 min.

– Une autre variante consiste à ajouter à la préparation le zeste finement râpé d'une orange.

❧❧❧

DOUCEURS AU CHOCOLAT
4 portions

75 g (2 1/2 oz) de beurre
90 g (3 oz) de chocolat à 70 % de cacao
3 œufs
30 ml (2 c. à soupe) de fructose
5 ml (1 c. à thé) de farine de blé entier moulue sur pierre
5 ml (1 c. à thé) de cacao
Coulis de fruits (facultatif)

Faire fondre le beurre au micro-ondes et laisser refroidir. Faire fondre doucement le chocolat au bain-marie. Séparer les blancs des jaunes d'œufs et battre ces derniers avec les deux tiers du fructose, jusqu'à ce que le mélange blanchisse et devienne mousseux. Incorporer la farine et le beurre fondu refroidi. Battre les blancs en neige, ajouter le reste du fructose et battre quelques secondes de plus. Dans un autre bol, battre le chocolat fondu et le mélange de jaunes d'œufs, puis incorporer délicatement les blancs d'œufs en neige à l'aide d'une spatule. Beurrer et fariner 4 moules individuels d'un mélange de farine et de cacao et y répartir la préparation. Cuire au four à 220 °C (425 °F) 7 min. L'intérieur des petits gâteaux doit être moelleux et le chocolat presque coulant. Démouler les gâteaux chauds dans les assiettes et servir tel quel ou accompagné d'un coulis de fruits maison.

⊰∦⊱

SORBETS AUX PÊCHES ET AUX ABRICOTS
6 portions

1 l (4 tasses) de pêches et d'abricots
750 ml (3 tasses) de yogourt nature
125 ml (1/2 tasse) de fructose
5 ml (1 c. à thé) de zeste de citron ou de lime
30 ml (2 c. à soupe) de liqueur (facultatif)

Peler et dénoyauter les fruits. Placer tous les ingrédients dans le récipient d'un robot culinaire et mélanger jusqu'à l'obtention d'une consistance crémeuse. Verser dans un contenant et placer au congélateur au moins 2 h. Remettre dans le robot pour obtenir de nouveau une consistance crémeuse. Replacer au congélateur au moins 1 h et sortir 5 à 10 min avant de servir. On peut le remettre au robot avant de servir. Servir dans des coupes à dessert.

Note : On peut varier les fruits selon la saison.

⊰∦⊱

MOUSSE AUX FRAMBOISES
4 portions

10 ml (2 c. à thé) de gélatine en poudre
60 ml (4 c. à soupe) d'eau
250 ml (1 tasse) de framboises fraîches
ou surgelées (dégelées)
30 ml (2 c. à soupe) de fructose
125 ml (1/2 tasse) de yogourt nature
60 ml (4 c. à soupe) de crème 35 %
2 blancs d'œufs
15 ml (1 c. à soupe) de fructose
Framboises entières pour la décoration

Diluer la gélatine dans 45 ml (3 c. à soupe) d'eau. Placer les framboises dans une casserole avec le fructose et une cuillerée d'eau et laisser frémir 5 min. Ajouter la gélatine et remuer pour bien la dissoudre. Réduire en purée au mélangeur. Passer au tamis et mettre dans un bol au réfrigérateur. Lorsque la purée est froide, y incorporer le yogourt. Fouetter la crème et l'ajouter au mélange de framboises. Dans un bol propre, battre les blancs d'œufs en neige avant d'ajouter 15 ml (1 c. à soupe) de fructose. Continuer de battre 2 min. À l'aide d'une spatule, incorporer délicatement les blancs d'œufs au mélange de framboises. Remplir 4 coupes et décorer de framboises entières.

Note : La crème 35 % est un aliment que nous n'incluons qu'exceptionnellement dans nos préparations.

❧❧❦❧

POIRES POCHÉES AU ROSÉ
4 portions

375 ml (1 1/2 tasse) de vin rosé
60 ml (1/4 tasse) de fructose
4 poires fermes avec leur queue
1 bâton de cannelle (facultatif)

Choisir une casserole qui pourra contenir les poires debout côte à côte. Verser d'abord le vin et ajouter le fructose. Amener à ébullition, réduire le feu et laisser frémir. Pendant ce temps, éplucher avec précaution les poires sans retirer les queues. Les déposer dans le sirop obtenu, ajouter suffisamment d'eau pour les couvrir et le bâton de cannelle. Ramener à un léger frémissement et laisser mijoter 15 min ou jusqu'à ce que les poires soient à peine tendres. Retirer du feu et laisser refroidir les poires dans ce sirop au réfrigérateur.

Accompagnement : Servir les poires sur un coulis de fruits ou rehaussées d'une sauce au chocolat.

Variante : Une fois cuites, les poires peuvent être évidées et farcies d'un mélange de fromage crémeux et de noix de Grenoble. Les servir froides ou à peine réchauffées au four une dizaine de minutes.

⊰))⊱

POMMES AU CIDRE

4 portions

4 grosses pommes Cortland
4 abricots secs en dés
45 ml (3 c. à soupe) de fructose
5 ml (1 c. à thé) de cannelle
200 ml (3/4 tasse) de flocons d'avoine (gruau)
60 ml (1/4 tasse) d'amandes effilées
4 noisettes de beurre
375 ml (1 1/2 tasse) de cidre

Nettoyer et évider les pommes de leurs cœurs sans les peler. Mélanger ensemble les abricots, le fructose, la cannelle et les flocons d'avoine, et farcir chaque pomme de cette garniture. Les déposer dans un plat en verre allant au four juste assez grand pour les contenir. Parsemer les pommes d'amandes effilées et ajouter sur le dessus de chacune une noisette de beurre. Mouiller avec le cidre. Cuire au four à 190 °C (375 °F) 30 min ou jusqu'à ce que les pommes soient tendres. Servir chaud.

Variante : Les noix de Grenoble peuvent remplacer les amandes. Pour leur apport très élevé en oméga 6 et 3, elles valent la peine d'être consommées régulièrement.

⇥∥⇤

CROUSTADE AUX FRUITS
6 portions

1 litre (4 tasses) de fruits (pommes, pêches, poires, fraises)
en morceaux

60 ml (1/4 tasse) de fructose

310 ml (1 1/4 tasse) de flocons d'avoines (gruau)

60 ml (1/4 tasse) de farine de blé entier moulue sur pierre

125 ml (1/2 tasse) d'amandes ou de noix
de Grenoble hachées

1 ml (1/4 c. à thé) de cannelle ou de muscade

15 ml (1 c. à soupe) de beurre

Noisettes de beurre

Mélanger les fruits avec la moitié du fructose et en couvrir le fond d'un moule rectangulaire. Mélanger les autres ingrédients, à l'exception des noisettes de beurre, et étendre sur les fruits en émiettant la préparation avec les doigts. Parsemer le dessus de noisettes de beurre. Cuire au four à 180 °C (350 °F) 30 min.

⟻⫞⟼

PETITS FRUITS AU GRATIN
4 portions

750 ml (3 tasses) de petits fruits
(fraises, framboises, bleuets, mûres)

2 œufs

125 ml (1/2 tasse) de tofu soyeux mou

60 ml (4 c. à soupe) de fructose

125 ml (1/2 tasse) de lait écrémé chaud

5 ml (1 c. à thé) de vanille

125 ml (1/2 tasse) de crème champêtre 35 %

Répartir les fruits dans 4 ramequins. Dans un bol, battre les œufs 1 min avant d'ajouter le tofu soyeux et la moitié du fructose. Bien mélanger. Ajouter le lait chaud. Chauffer le mélange au bain-marie, à feu doux, environ 10 min ou jusqu'à ce que la sauce adhère au dos d'une cuillère en métal. Retirer du feu, ajouter la vanille et laisser refroidir. Fouetter la crème et, à l'aide d'une spatule, l'incorporer délicatement à la sauce. Répartir la sauce sur les petits fruits, saupoudrer du reste de fructose et placer sous le gril jusqu'à ce que le fructose caramélise légèrement.

❧❘❧

QUINOA EN DESSERT
6 portions

500 ml (2 tasses) de quinoa cuit *al dente*

200 ml (3/4 tasse) de lait écrémé

2 œufs battus

15 ml (1 c. à soupe) de fructose

1 pomme en dés

5 ml (1 c. à thé) de cannelle

125 ml (1/2 tasse) d'amandes effilées

Mélanger tous les ingrédients ensemble, à l'exception des amandes. Mettre dans un plat antiadhésif allant au four. Parsemer les amandes sur le dessus et cuire au four à 180 °C (350 °F) 30 min.

❄❙❄

VELOURS D'ABRICOTS
4 portions

300 g de tofu soyeux mou nature
12 abricots secs
30 ml (2 c. à soupe) de jus de citron
5 ml (1 c. à thé) de vanille
Muscade

Broyer tous les ingrédients au mélangeur en marche intermittente environ 2 min ou jusqu'à l'obtention d'une consistance crémeuse. Servir dans des coupes individuelles.

Variante : Pour une consistance plus légère, allonger la crème avec du yogourt nature.

❄❙❄

Chapitre XIV

Une nouvelle vie pour les classiques

En terminant, nous illustrerons par quelques exemples comment une recette traditionnelle peut facilement être modifiée ou même réinventée afin de mieux correspondre à la nouvelle façon de nous alimenter.

ŒUFS FARCIS
6 portions

Recette traditionnelle

6 œufs durs écalés
Une pincée de sel
1 ml (1/4 c. à thé) de poudre de moutarde
60 ml (1/4 tasse) de mayonnaise
Une pincée d'oignon en poudre
1 pincée de poivre
2 ou 3 gouttes de sauce Worcestershire
Paprika, au goût
Persil ou ciboulette haché

Recette adaptée
avec apport en oméga 3

6 œufs oméga 3 durs écalés
Une pincée de sel
60 ml (1/4 tasse) de thon en conserve
10 ml (2 c. à thé) d'huile de canola
Une pincée de poudre d'oignon
30 ml (2 c. à soupe) de jus de citron
2 ml (1/2 c. à thé) de wasabi (raifort japonais)
Olives noires en tranches
Ciboulette hachée

Couper les œufs durs en 2 dans le sens de la longueur.
Retirer les jaunes et les écraser avec une fourchette.

Incorporer le reste des ingrédients, à l'exception des olives et de la ciboulette. Farcir les blancs de cette préparation, garnir de tranches d'olives et décorer de ciboulette.

La différence : Les œufs oméga 3 représentent un bon choix. La mayonnaise du commerce (sauf exception) contient trop d'ingrédients non désirables; il faut donc éviter de l'utiliser autant que possible. La farce à base de thon donne un goût différent à la recette, mais en faire l'essai, c'est l'adopter. Ce hors-d'œuvre incontournable dans un buffet devient une excellente source d'oméga 3 par l'ajout de thon, d'huile de canola et même par les œufs, si c'est notre choix.

Variante : Remplacer le thon par 6 filets d'anchois rincés et hachés, 1 gousse d'ail écrasée, du persil et de l'estragon hachés.

⚜

SOUPE AUX POIS
8 portions

Recette traditionnelle

500 ml (2 tasses) de pois à soupe mis à tremper la veille

1,75 l (7 tasses) d'eau bouillante

1 jarret de porc

1 carotte

1 branche de céleri

1 oignon

1 feuille de laurier

Sarriette, persil

Sel et poivre

Recette adaptée

500 ml (2 tasses) de pois à soupe mis à tremper la veille
1,75 l (7 tasses) d'eau bouillante ou
1,5 l (6 tasses) d'eau et 250 ml (1 tasse) de bouillon de
poulet maigre
200 ml (3/4 tasse) de céleri haché
1 oignon haché
30 ml (2 c. à soupe) d'huile d'olive
1 feuille de laurier
5 ml (1 c. à thé) de sarriette
Sel et poivre
15 ml (1 c. à soupe) de persil haché

Faire bouillir les pois à grande eau 3 min, puis retirer du feu. Laisser reposer 1 h. Égoutter. Dans une grande casserole, faire revenir les légumes dans l'huile. Ajouter les pois, le liquide, le laurier et la sarriette. Couvrir et laisser mijoter environ 1 h 30 ou jusqu'à ce que les pois soient tendres. Assaisonner et ajouter le persil.

La différence : Les graisses saturées que les jarrets de porc ou le lard salé contiennent étant incompatibles avec la teneur glycémique des pois, ils sont remplacés par de l'huile d'olive.

❧ ‖ ❦

RAMEQUINS AU THON
4 portions

Recette traditionnelle

120 g de thon égoutté
60 ml (1/4 tasse) de mayonnaise
250 ml (1 tasse) de pain émietté
15 ml (1 c. à soupe) de jus de citron
1 œuf battu
60 ml (1/4 tasse) de céleri haché
60 ml (1/4 tasse) de lait entier
Poudre d'oignon
Sel et persil

Recette adaptée

120 g de thon égoutté
60 ml (1/4 tasse) de yogourt nature
200 ml (3/4 tasse) d'orge mondé cuit *al dente*
15 ml (1 c. à soupe) de jus de citron
1 œuf battu
60 ml (1/4 tasse) de céleri haché
60 ml (1/4 tasse) de lait écrémé
Poudre d'oignon
Sel et persil
30 ml (2 c. à soupe) d'huile de canola (facultatif)

Mélanger ensemble tous les ingrédients et verser dans des ramequins huilés. Cuire au four à 180 °C (350 °F) 30 min.

Accompagnement : Servir avec une sauce aux tomates ou un coulis de poivrons rouges ou jaunes et une petite salade.

Variante : Cette recette s'apprête aussi avec du saumon et on peut également augmenter la quantité de légumes hachés.

La différence : Dans cette recette, le yogourt remplace avantageusement la mayonnaise, surtout celle du commerce. L'orge, de par son indice glycémique peu élevé, est un bon substitut du pain, à condition qu'il ne soit pas trop cuit. Le lait écrémé est toujours un meilleur choix.

❧❧

CROUSTADE AUX POMMES
6 portions

Recette traditionnelle

4 pommes
60 ml (1/4 tasse) de raisins secs
15 ml (1 c. à soupe) de jus de citron
60 ml (1/4 tasse) de farine tout usage
200 ml (3/4 tasse) de flocons d'avoine (gruau)
160 ml (2/3 tasse) de cassonade
10 ml (2 c. à thé) de cannelle
80 ml (1/3 tasse) de beurre

Recette adaptée

4 pommes

60 ml (1/4 tasse) d'abricots secs en dés

15 ml (1 c. à soupe) de jus de citron

1 ml (1/4 c. à thé) d'essence d'érable

15 ml (1 c. à soupe) de farine de blé entier moulue sur pierre

15 ml (1 c. à soupe) de germe de blé

200 ml (3/4 tasse) de flocons d'avoine (gruau)

125 ml (1/2 tasse) de fructose

10 ml (2 c. à thé) de cannelle

45 ml (3 c. à soupe) de beurre

Noisettes de beurre

Peler et couper les pommes en morceaux. Ajouter les abricots secs, le jus de citron et l'essence d'érable. Mettre dans un plat allant au four. Mélanger les ingrédients secs et le beurre, et en couvrir les fruits. Parsemer de noisettes de beurre.

Cuire au four à 180 °C (350 °F) 30 min.

La différence : Les abricots séchés ayant un index glycémique plus faible que les raisins secs, on peut les substituer à ces derniers dans la plupart des recettes. Remplacer la farine tout usage par une farine de blé entier est déjà une nette amélioration de la valeur nutritive. En remplaçant aussi une partie de la farine par une quantité équivalente de germe de blé, l'apport supplémentaire en fibres fait diminuer l'indice glycémique. Une quantité moindre de fructose remplace la cassonade. L'essence d'érable donne un petit goût semblable à celui de la cassonade. Le beurre est toujours inclus, mais en plus petite quantité. Le beurre est toléré lorsqu'il n'est pas surchauffé et noir.

⊰⊹⊱

MUFFINS AUX BLEUETS
10 muffins

Recette traditionnelle

500 ml (2 tasses) de farine tout usage

80 ml (1/3 tasse) de sucre

10 ml (2 c. à thé) de poudre à pâte

2 ml (1/2 c. à thé) de sel

2 œufs battus

250 ml (1 tasse) de lait

60 ml (1/4 tasse) de beurre fondu ou de margarine

200 ml (3/4 tasse) de bleuets frais ou surgelés

5 ml (1 c. à thé) de zeste de citron râpé

Recette adaptée

500 ml (2 tasses) de farine de blé entier moulue sur pierre

60 ml (1/4 tasse) de fructose

15 ml (1 c. à soupe) de poudre à pâte

2 ml (1/2 c. à thé) de sel

3 blancs d'œufs battus

250 ml (1 tasse) de lait écrémé

60 ml (1/4 tasse) d'huile d'olive ou de canola

200 ml (3/4 tasse) de bleuets frais ou surgelés
5 ml (1 c. à thé) de zeste de citron râpé

Mélanger ensemble les ingrédients secs. Battre les œufs, le lait et l'huile avant de les incorporer aux ingrédients secs. Incorporer délicatement les bleuets. Remplir des moules à muffins aux deux tiers et cuire au four à 200 °C (400 °F) 20 à 25 min, jusqu'à ce qu'ils soient fermes sous la pression du doigt.

La différence : La farine de blé entier moulue sur pierre est toujours préférable. On substitue le fructose au sucre, aux deux tiers de la quantité initiale. Le sucre peut être également remplacé par une purée de fruits secs et un peu de fructose. On préfère les blancs d'œufs aux œufs entiers si l'on veut diminuer l'apport de gras. Cette recette de muffins est plus glycémique que lipidique. Pour cette raison, le lait écrémé est utilisé plutôt que le lait entier.

ANNEXE I

L'ABC des aliments et des produits

C e tableau est une version détaillée du tableau V : L'ABC des combinaisons alimentaires (chapitre IV, p. 33). Les aliments **à éviter** sont énumérés dans la première colonne. Le groupe A (deuxième colonne) liste certains aliments contenant des **graisses**. Ceux-ci doivent être consommés avec modération et évités lorsque des aliments du groupe B (troisième colonne) rentrent dans la composition du repas. Les aliments du groupe B sont des **glucides** (sucres) avec un index glycémique intermédiaire. Les aliments du groupe C (quatrième colonne) peuvent être consommés **à volonté**. On notera que la classification de certains aliments glucidiques a aussi été influencée par la charge glycémique de l'aliment, comme nous l'avons énoncé à la fin du chapitre II.

	À ÉVITER	A GRAISSES	B GLUCIDES	C À VOLONTÉ
PRODUITS CÉRÉALIERS				
Bagels	Farine blanche		Farine intégrale	
Beignes	Tous genres			
Biscuits et craquelins	Arrowroot® Digestifs Graham Riz soufflé Soda		Kavli® Ryvita®	
Céréales du déjeuner	Cheerios® Corn Pops® Cornflakes® Crème de blé Crispix® Froot Loops® Grapenuts® Life® Pop Tarts® Raisin Bran® Rice Krispies® Shredded Wheat® Special K® Total® Weetabix®		Flocons d'avoine cru (gruau)	All bran® Fibre I® Muesli sans sucre Shredded Wheat & Bran®
Céréales en barres	Tous genres			
Crêpes	Farine blanche, sucrée		Farine de sarrasin Farine intégrale	

	À ÉVITER	A GRAISSES	B GLUCIDES	C À VOLONTÉ
PRODUITS CÉRÉALIERS (suite)				
Croissants	Farine blanche, sucrée		Farine intégrale	
Gâteaux	La majorité			
Gaufres	Tous genres			
Grains	Couscous Maïs Millet Riz blanc Riz instant Riz long grain Risotto Tapioca		Boulgour Riz basmati Riz brun entier Sarrasin Seigle Semoule de blé entier	Orge Quinoa Riz sauvage
Muffins	Commerciaux		Maison, sans sucre	
Pains*	Aux olives, fromage, etc. Blanc Melba®		Farine intégrale, sans sucre Multigrains, sans sucre Pumpernickel Seigle Son d'avoine, sans sucre	
Pâtes et nouilles	Gnocchis Pâtes fraîches Raviolis		Longues (spaghettis, spaghettinis), *al dente* de grains entiers Vermicelles de riz Vermicelles de soya	

*   Même les meilleurs pains ne se consomment qu'au petit-déjeuner.

	À ÉVITER	A GRAISSES	B GLUCIDES	C À VOLONTÉ
PRODUITS CÉRÉALIERS (suite)				
Pitas	Farine raffinée		Farine de blé entier	
Tacos	Tous genres			
Tortillas	Tous genres			
Viennoiseries	Tous genres			
PRODUITS LAITIERS				
Beurre	Tous genres			
Crème glacée	Sauf exceptions			
Crème		Crème 15 % Crème 35 % Crème sure		
Fromages		Brie Camembert Cheddar Chèvre Gruyère Mozzarella etc.		Cottage Parmesan
Lait	Au chocolat commercial Condensé Eagle brand®	Entier		Écrémé Écrémé en poudre
Yogourts			Yogourt 6 grains Boisson au yogourt sans sucre	Nature Silhouette léger®

	À ÉVITER	A GRAISSES	B GLUCIDES	C À VOLONTÉ
PRODUITS LAITIERS (suite)				
Soya	Tofu glacé		Yogourt de soya Boisson de soya	Tofu nature Tofu soyeux mou
FRUITS				
	Ananas Banane mûre Canneberge Cantaloup Datte Figue Fruits en conserve dans le sirop Melon d'eau Raisins secs		Abricot Kiwi Litchi Mangue Papaye Raisin	Cerise Citron et lime Clémentine Fraise Petits fruits Orange Pamplemousse Pêche Poire Pomme Prune
LÉGUMES				
	Betterave Maïs sucré Navet Panais Pomme de terre	Avocat	Artichaut Aubergine Carotte Céleri-rave Chayote Cœur de palmier Courge Okra (gombo) Pois verts congelés	Asperge Brocoli Céleri Champignon Chou Choucroute Chou-fleur Chou de Bruxelles Concombre Courgette Échalote Endive Épinard Fenouil Haricot jaune Haricot vert Germes de soya Laitue Oignon Pois mange-tout Poivron Radis Tomate

À ÉVITER	A GRAISSES	B GLUCIDES	C À VOLONTÉ
LÉGUMINEUSES			
Fèves de Lima Gourganes		Légumineuses *al dente* Lentilles vertes en conserve Pois chiches	Lentilles *al dente*
NOIX ET GRAINES			
	Noix de cajou Pacane		Amandes Arachide Graines de lin Graines de pavot Graines de sésame Graines de soya Noix de Grenoble Noix de Macadamia Pignon Pistache
VIANDES, VOLAILLES, ŒUFS, POISSONS, FRUITS DE MER			
Abats Bacon Bacon à l'érable Gras visible des viandes Poissons panés Simili poisson (goberge) Viandes froides avec glucose Volailles (peau de)	Agneau Bacon de dos dégraissé Bœuf Dinde, viande brune Jambon Porc maigre Poulet, viande brune Veau Viandes froides		Dinde, viande blanche Fruits de mer Poissons frais ou congelés Poulet, viande blanche

	À ÉVITER	A GRAISSES	B GLUCIDES	C À VOLONTÉ
MATIÈRES GRASSES				
Huiles	Noix de coco Palme	Arachide Canola Enduit d'huile d'olive Noix Olive Soya Tournesol Végétale		
Margarine	Saindoux Shortening	Canola Olive Soya		
CONDIMENTS, ÉPICES, ETC.				

	Ketchup
	Marinades
	  sucrées
	Mayonnaise
	  commerciale
	Miel
	Relish
	Sirop de maïs
	Sirop d'érable
	Sucre
	Vinaigre
	  sucré
	Vinaigrette
	  commerciale
	  sucrée
		Olives
		  marinées
				Ail
				Algues
				Bouillon
				  de poulet,
				  de bœuf
				  sans sucre
				Cornichon
				  à l'aneth
				Édulcorant
				  artificiel
				Fructose
				Herbes
				Marinades
				  sans sucre
				Moutarde
				  de Dijon
				Moutarde
				  préparée,
				  sans sucre
				Raifort
				Salsa
				  sans sucre
				Sauce soya
				Sauce tomate
				  sans sucre
				Sauce
				  Worces-
				  tershire
				Vinaigre
				Wasabi

À ÉVITER	A GRAISSES	B GLUCIDES	C À VOLONTÉ
BOISSONS			

Bière
Boisson
  désaltérante
  (Gatorade®)
Alcool, apéro,
  digestif
Cocktail
  de fruits
Boisson
  aux fruits
Boissons
  gazeuses
		Jus
		  sans sucre
			Café
			Thé
			Vin
			Tisanes
			Boissons
			  gazeuses
			  avec
			  aspartame

DESSERTS			

Gâteaux
Sorbets
  sucrés
Tartes
	Flan
	Sans sucre
		Sans sucre
		  ni farine
		  raffinée
		Chocolat à
		  70 % de cacao
		Minigo®
		Mousses
		  commerciales
		Poudings
		  instantanés
			Compote de
			  fruits sans
			  sucre
			Yogourt
			  sans sucre

AUTRES			
Bretzels Pop-corn			

ANNEXE II

Mesures de l'indice de masse corporelle et du tour de taille

Pour vous aider à atteindre un poids santé, nous insérons ici la définition de l'indice de masse corporelle, la manière de le calculer, puis comment mesurer le tour de taille.

L'indice de masse corporelle sert à définir le poids idéal en fonction de la taille d'un individu. Sur la base de cet indice sont définis les critères officiels concernant le surplus de poids, l'obésité ou la super-obésité.

Il y a deux façons d'évaluer son indice de masse corporelle (IMC).

1. On peut utiliser le tableau suivant.

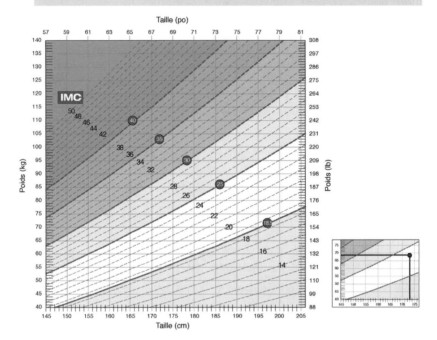

TABLEAU VII

LE NOMOGRAMME DE L'INDICE DE MASSE CORPORELLE (IMC)

Pour calculer rapidement l'IMC (kg/m²), utilisez une règle pour trouver le point où le poids (kg ou lb) et la taille (cm ou po) se croisent sur le nomogramme. **Trouvez ensuite le chiffre situé le plus près sur la ligne pointillée.** Par exemple, une personne qui pèse 69 kg et mesure 173 cm a un IMC d'environ 23.

Source : Santé Canada, *Lignes directrices canadiennes pour la classification du poids chez les adultes*, Ottawa, 2003

2. On peut le calculer à partir de la formule suivante :

$$IMC = \frac{\text{poids en kilos}}{(\text{taille en mètres})^2}$$

Les critères, basés sur l'IMC, récemment définis (2003) par Santé Canada pour classifier le poids chez l'adulte sont les suivants :

TABLEAU VIII		
L'INDICE DE MASSE CORPORELLE		
Classification	**Catégorie de l'IMC (kg/m²)**	**Risque de développer des problèmes de santé**
Poids insuffisant	< 18,5	Accru
Poids normal	18,5 – 24,9	Moindre
Excès de poids	25,0 – 29,9	Accru
Obésité		
Classe I	30,0 – 34,9	Élevé
Classe II	35,0 – 39,9	Très élevé
Classe III	≥ 40,0	Extrêmement élevé

Note : Dans le cas des personnes de 65 ans et plus, l'intervalle « normal » de l'IMC peut s'étendre à partir d'une valeur légèrement supérieure à 18,5 jusqu'à une valeur située dans l'intervalle « excès de poids ».

Source : Adapté à partir de : Organisation mondiale de la santé, *Obesity : Preventing and Managing the Global Epidemic : Report of a WHO Consultation on Obesity*, Genève, 2000.

Ils s'apparentent à peu de chose près à ceux préconisés par l'Organisation mondiale de la santé (OMS).

Lors de sa récente révision des critères utilisés pour classifier le poids chez l'adulte, Santé Canada a aussi clairement déterminé les problèmes de santé pouvant être directement reliés au poids :

TABLEAU IX	
CERTAINS PROBLÈMES DE SANTÉ RELIÉS AU POIDS	
EXCÈS DE POIDS / OBÉSITÉ	**POIDS INSUFFISANT***
Diabète de type 2 Lipidémie anormale Hypertension Maladies coronariennes Maladies de la vésicule biliaire Apnée obstructive du sommeil Certains type de cancer	Malnutrition Ostéoporose Infertilité Diminution de la fonction immunitaire

*   Peut être le signe de troubles alimentaires ou d'une autre maladie sous-jacente.

Il faut aussi savoir que, quel que soit l'indice de masse corporelle, le tour de taille a également une influence sur les risques cardiovasculaires, tel que clairement démontré par l'étude cardiovasculaire de Québec (J.-P. Després et autres). Pour Santé Canada, la limite au-delà de laquelle il y a risque accru de maladies cardiovasculaires est de 88 cm (35 po) chez la femme et 102 cm (40 po) chez l'homme, alors que l'OMS est encore plus sévère, comme le révèle le tableau suivant :

TABLEAU X		
TOUR DE TAILLE (SELON LE SEXE) ET RISQUE DE COMPLICATIONS MÉTABOLIQUES ASSOCIÉES À L'OBÉSITÉ CHEZ LES CAUCASOÏDES*		
Risque de complications métaboliques	**Tour de taille (cm)**	
	Hommes	Femmes
Augmenté	≥ 94 (37 po)	≥ 80 (31 po)
Augmenté considérablement	≥ 102 (40 po)	≥ 88 (35 po)

*   Ce tableau est présenté à titre d'exemple seulement. Les seuils servant à l'estimation du risque par la mesure du tour de taille varient en fonction des populations. Ce risque dépend aussi du degré d'obésité et d'autres facteurs de risque reliés aux maladies cardiovasculaires et au diabète de type 2. Les recherches se poursuivent à cet égard.

Source :   Organisation mondiale de la santé, *Obesity : Preventing and Managing the Global Epidemic : Report of a WHO Consultation on Obesity*, Genève, 1998, page 11.

En outre, l'étude cardiovasculaire de Québec a démontré que le seuil au-delà duquel il y avait risque accru de maladies cardiovasculaires était en fait de 90 cm (35,5 po). Pour ces chercheurs, le tour de taille serait même plus important que l'IMC pour prédire ce genre de risque. Il est utile de mentionner que cette mesure est très simple à prendre et très peu coûteuse. Le seul matériel requis est un ruban gradué et, contrairement à une balance, on peut facilement l'apporter avec soi dans tous ses déplacements. La bonne nouvelle, c'est aussi que notre régime alimentaire est particulièrement efficace pour faire fondre les tours de taille, puisque cette obésité de type « pomme » est, comme nous le savons maintenant, essentiellement reliée à un hyperinsulinisme.

Pour que la mesure du tour de taille soit valable et reproductible, il faut observer certaines règles de procédure très simples.

La mesure du tour de taille

On mesure le tour de taille à mi-distance entre le rebord inférieur de la dernière côte et la crête iliaque, tel qu'illustré sur le schéma suivant.

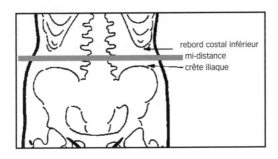

PROCÉDURE

- Se tenir debout et ôter tout vêtement couvrant de la taille.
- Répartir le poids également sur les deux jambes avec les pieds écartés d'environ 25 à 30 cm (10 à 12 po).
- Utiliser une légère tension en évitant de trop serrer le ruban pour ne pas compresser les tissus mous sous-jacents. Mesurer à la fin d'une expiration normale en s'assurant de ne pas contracter les muscles abdominaux.
- S'assurer que le ruban demeure horizontal par rapport à la taille (l'idéal est de vérifier dans un miroir).

TABLE DES MATIÈRES